Uma igreja chamada *tov*

Uma igreja chamada *tov*

A formação de uma cultura de bondade que resiste a abusos de poder e promove cura

SCOT McKNIGHT
LAURA BARRINGER

Traduzido por Susana Klassen

Copyright © 2020 por Scot McKnight e Laura McKnight Barringer
Publicado originalmente por Tyndale House Publishers, Inc., Carol Stream, Illinois, EUA.

Os textos bíblicos foram extraídos da *Nova Versão Transformadora* (NVT), da Tyndale House Foundation, salvo as seguintes indicações: *Almeida Revista e Corrigida* (RC), da Sociedade Bíblica do Brasil; e *Nova Versão Internacional* (NVI), da Bíblica, Inc.

Todos os direitos reservados e protegidos pela Lei 9.610, de 19/02/1998.

É expressamente proibida a reprodução total ou parcial deste livro, por quaisquer meios (eletrônicos, mecânicos, fotográficos, gravação e outros), sem prévia autorização, por escrito, da editora.

Edição
Daniel Faria

Revisão
Natália Custódio

Produção
Felipe Marques

Diagramação
Marina Timm

Colaboração
Ana Luiza Ferreira

Adaptação de capa
Ricardo Shoji

CIP-Brasil. Catalogação na publicação
Sindicato Nacional dos Editores de Livros, RJ

M429i

McKnight, Scot
Uma igreja chamada tov : a formação de uma cultura de bondade que resiste a abusos de poder e promove cura / Scot McKnight, Laura Barringer ; tradução Susana Klassen. - 1. ed. - São Paulo : Mundo Cristão, 2022.
272 p.

Tradução de: A church called Tov
ISBN 978-65-5988-135-2

1. Autoridade - Aspectos religiosos - Cristianismo. 2. Igreja - Clero - Comportamento sexual. 3. Igreja - Infalibilidade. I. Barringer, Laura. II. Klassen, Susana. III. Título.

22-78260

CDD: 262.72
CDU: 27-732

Meri Gleice Rodrigues de Souza - Bibliotecária - CRB-7/6439

Publicado no Brasil com todos os direitos reservados por:

Editora Mundo Cristão
Rua Antônio Carlos Tacconi, 69
São Paulo, SP, Brasil
CEP 04810-020
Telefone: (11) 2127-4147
www.mundocristao.com.br

Categoria: Igreja
1ª edição: setembro de 2022 | 6ª reimpressão: 2025

Para os feridos que não desistiram

Sumário

Prefácio por Tish Harrison Warren 9

Introdução: Onde estamos 13

**Parte I: A formação e a deformação
da cultura de uma igreja**

1. Toda igreja é uma cultura 25
2. Primeiros sinais de alerta de uma cultura tóxica 37
3. Como culturas tóxicas reagem a críticas 54
4. Narrativas falsas 67

Parte II: O círculo de *tov*

5. A formação de uma cultura de bondade 97
6. Igrejas *tov* cultivam empatia 113
7. Igrejas *tov* cultivam graça 127
8. Igrejas *tov* cultivam priorização de pessoas 136
9. Igrejas *tov* cultivam veracidade 151
10. Igrejas *tov* cultivam justiça 176
11. Igrejas *tov* cultivam serviço 193
12. Igrejas *tov* cultivam semelhança a Cristo 221

Agradecimentos 244
Notas 247

Prefácio

A igreja faz parte das boas-novas de Jesus. A missão de Jesus não consistiu apenas em salvar indivíduos. Ele criou um povo, uma comunidade, uma instituição para fazer brilhar em todo o mundo e em todas as partes da sociedade humana sua luz, verdade, paz e bondade perenes. Ele formou uma igreja e a tomou para si. Ela é sua noiva, seu corpo, seu povo, motivo pelo qual professamos no Credo Niceno que cremos em uma só igreja santa, católica e apostólica. Michael Ramsey, falecido arcebispo de Canterbury, escreveu: "Só conhecemos o fato pleno do Cristo encarnado quando conhecemos sua igreja e a vida da igreja como parte da própria vida de Cristo".[1]

E, no entanto, os erros dos líderes da igreja me lançaram em profunda dúvida e em uma crise de fé. Chorei lágrimas amargas ao ver um pastor poderoso cercar-se de um grupo chegado de admiradores e reagir com aspereza a qualquer um que ele considerasse indigno de seus afetos seletivos.

É evidente que a igreja não raro nos magoa, nos decepciona e até nos prejudica. Tanto a história quanto as manchetes atuais revelam uma igreja que pode ser uma instituição profundamente imperfeita, pecaminosa e desfigurada por atos de injustiça, corrupção, abuso, misoginia e opressão. A igreja americana contemporânea se encontra sob a influência destrutiva de brigas e divisões, culto a celebridades, líderes que não prestam contas a ninguém, ensinamentos falsos e superficiais, e um complexo industrial cristão formado em torno da ganância e da vaidade.

Sim, a igreja faz parte das boas-novas de Jesus. E a igreja proclama as boas-novas de Jesus. No entanto, quando homens e mulheres só veem igrejas formadas por poder nocivo, celebridade, competitividade, segredo e autoproteção, nossa vida eclesiástica comunitária desvirtua a verdade do evangelho. A igreja só pode dar testemunho da verdade de Jesus ao buscar justiça, servir com humildade, atuar com transparência e confessar e lamentar suas falhas.

Diante disso, o que devemos fazer? Como procurar aceitar a igreja em sua condição de organismo divino criado por Jesus, sem negar a escuridão e o perigo reais que encontramos em suas instituições extremamente humanas e frágeis?

Este livro trata de modo proveitoso desse desafio fundamental: Como promover uma cultura eclesiástica marcada pela bondade?

Nós, como igreja, pelo poder do Espírito Santo, temos de realizar a difícil tarefa de falar com honestidade de nossos pecados e de nossas falhas, de nos arrepender ativamente e de reconstruir uma cultura eclesiástica arraigada em verdade, graça e transparência. E precisamos de guias para essa difícil tarefa. Aqui, Scot McKnight e Laura Barringer são nossos guias.

Usando histórias de sua vida e testemunhos de vítimas, eles nos mostram de que maneiras específicas a igreja tem falhado e que tipo de cultura permite (e até incentiva) o abuso e o uso indevido de poder.

Mas eles vão além. A grande virtude deste livro é que os autores também mostram como contribuir para a formação de culturas eclesiásticas que promovam desenvolvimento, saúde e bondade. Ao nos conduzir pelo terreno acidentado da liderança cristã do século 21, eles nos ajudam, com grande habilidade, a enxergar os perigos e os precipícios da vida na igreja.

PREFÁCIO • 11

Além disso, porém, também traçam um caminho melhor, uma forma de sermos *despenseiros da graça*, pessoas que expressam concretamente compaixão para com os aflitos e marginalizados, honram os dons e as vocações das mulheres e buscam justiça e perdão.

O aspecto mais proveitoso deste livro é que, embora mantenha sua visão teológica, não cai na armadilha de simplesmente pontificar o que a igreja não é ou o que poderia ser. Este é um livro profundamente pessoal e extremamente prático. E é uma grande dádiva. Vemos a nós mesmos, nossa vida e nossas igrejas nestas páginas, que trazem histórias verídicas de pessoas e comunidades.

A leitura desses relatos trouxe à mente as experiências de abuso espiritual e as culturas de liderança tóxicas em minha própria vida cristã. Também me desafiou a identificar como meu ministério e minha cultura eclesiástica podem ser alterados e formados para refletir melhor a santidade e a saúde às quais somos chamados.

É fácil apresentar o abuso na igreja de maneira puramente individualista, como resultado de umas poucas "maçãs podres". Mas, como mostra *Uma igreja chamada* tov, temos na igreja um problema cultural que produz formas de abuso que se manifestam repetidamente em diferentes lugares, tradições e contextos eclesiásticos. Uma mudança de cultura é algo difícil e exige intencionalidade. No entanto, para as igrejas e líderes de igrejas que almejam o que Jacques Elul chamou "a dificuldade extrema de encarnar a verdade",[2] Scot McKnight e Laura Barringer nos desafiam a iniciar um belo percurso de cura e transformação.

Tish Harrison Warren
Autora de *Liturgia do ordinário*

Introdução

Onde estamos

Em 23 de março de 2018, meu marido e eu (Laura) estávamos pagando a conta em um restaurante perto de casa quando recebemos uma mensagem de texto de meus pais com o *link* de uma notícia do jornal *Chicago Tribune*. Quando li a manchete para Mark ("Depois de anos de investigações, pastor da Willow Creek nega alegações de conduta indevida"), nós dois reviramos os olhos em total descrença. Quem acusaria Bill Hybels, fundador e pastor titular da Willow Creek Community Church, de conduta sexual indevida? No artigo, o *Tribune* relatava acusações de várias mulheres de "comentários insinuantes, abraços demorados, um beijo indesejado e convites para quartos de hotel", bem como "um longo envolvimento consensual com uma mulher casada que, posteriormente, voltou atrás em sua alegação".[1]

"Não é verdade. De jeito nenhum", eu disse a Mark. Frequentávamos a Willow Creek havia quase duas décadas e sempre admiramos a liderança de Bill Hybels. Jamais suspeitamos de alguma coisa inapropriada em seu comportamento, embora seja verdade que, em uma igreja do tamanho da Willow Creek, os membros raramente saibam o que acontece nos bastidores. Durante esse período de vinte anos, falei apenas uma vez com Bill Hybels, depois de ficar em uma fila para cumprimentá-lo no fim do culto vespertino. Ele disse: "Minha filha conhece sua família. Ela fala muito bem de vocês".

No caminho de volta para casa, continuei a ler a reportagem em voz alta enquanto Mark dirigia. Quando o artigo mencionou Vonda Dyer, ex-diretora do ministério de cântico da Willow Creek, Mark e eu trocamos olhares incrédulos e, apreensiva, comecei a sentir um frio na barriga. Vonda disse ao jornal que "Hybels a chamou para ir à suíte dele no hotel durante uma viagem à Suécia em 1998 e, inesperadamente, a beijou e insinuou que poderiam liderar a Willow Creek juntos".[2]

"Gente", Mark disse. E, depois de um momento de silêncio, acrescentou: "Conheço Vonda há quase vinte anos. É pra valer. Ela está dizendo a verdade".

Continuei a ler. A reportagem mencionava em seguida Nancy Beach, que "relatou mais de uma conversa ou interação que ela considerou inapropriada durante momentos em que esteve sozinha com Hybels ao longo dos anos".[3]

Nancy Beach. Outra mulher de caráter e integridade. Meu pai conhece Nancy há anos. Ao prosseguir com a leitura, todos os nomes eram conhecidos: John e Nancy Ortberg, Leanne Mellado, Betty Schmidt, pessoas que considerávamos sinceras e honestas. Quase todas eram amigas de nossa família e tinham vínculos de longa data com a Willow Creek. Por que mentiriam? Não podiam estar de conluio para acabar com a reputação de Bill Hybels, como ele disse no artigo do *Tribune*.[4] Não tinham motivo para isso. Se as mulheres estavam dizendo a verdade, Bill Hybels não estava. Enquanto tentávamos processar a notícia, esses pensamentos conflitantes se mostraram irreconciliáveis.

•••

Quando Laura e Mark chegaram em casa naquela noite, telefonaram para mim (Scot) a fim de saber minha opinião.

— É provável que os relatos sejam verdadeiros — eu disse.

— Como você sabe? — Laura perguntou

— Eu espero que esteja errado. Mas é algo previsível. E dificilmente Vonda Dyer, Nancy Beach, Leanne Mellado, Betty Schmidt *e* Nancy Ortberg estão inventando essa história.

Muitas vezes, quando um pastor é acusado de conduta indevida, a reação inicial é negar, esquivar-se, irar-se ou demonizar quem faz a acusação. Em geral, as alegações são recebidas pelo pastor, presbítero ou outro líder com negação veemente, seguida de imediato de uma narrativa alternativa daquilo que "realmente aconteceu". Esse novo relato lança sementes de dúvida sobre a veracidade, a estabilidade e as motivações do acusador; procura minimizar a seriedade das acusações; insinua que palavras ou ações inocentes foram compreendidas ou interpretadas equivocadamente; e, com frequência, procura ampliar o foco da acusação e abranger não apenas o pastor, mas também os presbíteros ou o conselho da igreja, o ministério e a igreja em si, como se questionar a integridade ou o comportamento do pastor fosse um ataque contra toda a igreja. Também não é raro a liderança da igreja garantir que a questão já foi investigada, tratada e resolvida internamente. Quando vi esse quadro começar a se configurar na reportagem do *Tribune* sobre a Willow Creek, meus instintos me disseram para confiar nas *mulheres*, pois elas estavam dizendo a verdade.

— Espero que a igreja não tome a ofensiva — eu disse a Laura. — As repercussões vão ser enormes se essas alegações não forem tratadas de forma compassiva.

A reação *não* foi compassiva, como descrevi posteriormente em detalhes em meu blog *Jesus Creed*:

A liderança da Willow Creek [tomou] [...] uma decisão deploravelmente insensata: escolheu apresentar as alegações como mentiras, as mulheres como mentirosas e as testemunhas das mulheres como conspiradores. Junto com essa narrativa acusadora [...] [eles] apresentaram outra narrativa: Bill Hybels era inocente, a obra de Deus na Willow Creek terá continuidade e nós superaremos essa crise. Chamaram essa grande dificuldade de "fase". Essa abordagem combinada de acusar as mulheres e defender Bill é, ao mesmo tempo, uma narrativa e uma estratégia.[5]

O que aconteceu depois, como consequência desse contragolpe de Bill Hybels e da liderança da Willow Creek, foi ampla e minuciosamente examinado na mídia de modo geral e nas redes sociais. Nosso propósito aqui não é ser sugados pelo vórtice da Willow, mas usar esse exemplo como uma de várias ilustrações do que pode acontecer quando uma cultura eclesiástica se torna tóxica.

Usamos a desintegração da Willow Creek como ponto de partida porque essa é uma história importante para nossa família: Laura e Mark, Scot e Kris. Frequentamos a Willow Creek por muitos anos, e Mark e Laura se conheceram em um ministério para jovens nessa igreja. Conhecemos quase todas as pessoas que estão diretamente envolvidas na história. Temos profundo amor pela Willow Creek e pedimos a Deus que haja plena reconciliação na igreja.

No entanto, este não é, de maneira nenhuma, um livro apenas sobre a Willow Creek. A realidade triste e nada surpreendente é que não precisamos procurar muito para encontrar outros exemplos de igrejas tóxicas e disfuncionais. Enquanto a história da Willow Creek continuava a se desenrolar, a Harvest Bible Chapel, outra igreja de destaque na grande Chicago, exonerou seu pastor fundador, James MacDonald, quando o conselho concluiu que MacDonald se tornou "bibli-camente desqualificado para o ministério" depois de décadas em que "insultou, humilhou e hostilizou outros verbalmente [...] se aproveitou de seu cargo e exerceu autoridade espiritual de modo inapropriado [...] e, com gastos extravagantes, usou recursos da igreja para benefício próprio" como parte de "uma conduta inegavelmente pecaminosa".[6]

E o problema não se restringe a megaigrejas de Chicago. Na falta de uma cultura que *resista* ao abuso e promova cura, segurança e crescimento espiritual, a angustiante verdade é que igrejas de todos os feitios e tamanhos são suscetíveis a abuso de poder, abuso sexual e abuso espiritual.

Só nos últimos anos, vimos alegações serem feitas contra a Sovereign Grace Ministries e um de seus fundadores, C. J. Mahaney, pela forma que trataram casos de abuso nas congregações filiadas à SGM.[7] Vimos ex-pastores de jovens como Andy Savage e Wes Feltner pedirem demissão de suas respectivas igrejas em razão de alegações de que haviam abusado sexualmente de moças que participavam de seus ministérios.[8] Vimos o pastor de megaigreja Mark Driscoll ser excluído da associação de plantadores de igreja que ele ajudou a fundar em razão de comportamentos que a associação considerou "ímpios e desqualificadores".[9] Vimos alegações até mesmo contra o Seminário Teológico Batista do Sudoeste, que, sob a liderança do presidente Paige Patterson, "tinha como costume e prática ignorar as queixas de assédio sexual de alunas e o comportamento predador de alunos e funcionários do sexo masculino", de acordo com um processo legal iniciado no estado do Texas.[10] E as alegações de abusos sexuais na Igreja Católica Romana ocupam as manchetes há décadas.

É extremamente fácil, porém, usar como bode expiatório a pessoa que comete os delitos e ignorar o fato de que esses comportamentos não costumam ocorrer em um vácuo. Antes, expressam a *cultura* de uma instituição. O aspecto mais trágico dessas e de muitas outras histórias é que, em vez de essas organizações tratarem dos feridos, das vítimas e dos sobreviventes de abuso, concentraram a atenção em si mesmas, em sua liderança e em interesses próprios. Protegeram os culpados, não assumiram responsabilidade e calaram os feridos. E essa é apenas a superfície do problema.

O impacto dessas ocorrências é de extrema gravidade. Causam perda de inocência e desilusão crescente de incontáveis pessoas íntegras na vida das quais a igreja desempenha um papel central, pessoas que consideravam o pastor exemplo de conduta cristã e de piedade em suas funções de marido, pai, avô, pastor, líder e fundador de movimentos. A mesma desilusão ocorre com muitos outros para os quais sua igreja era o modelo ideal de sucesso. Revelações sobre a liderança da igreja mostraram para alguns um nível de duplicidade e corrupção no qual era impossível de acreditar e, portanto, no qual eles *se recusaram* a acreditar. Para muitos outros, também houve uma perda de confiança em pastores, presbíteros, líderes de corporações de megaigrejas, nas igrejas em geral e em tudo o que tivesse alguma relação com o cristianismo. Estamos falando de pessoas reais, com feridas reais que precisam de cura.

Uma palavra para os feridos e para aqueles que não desistiram

Se você foi ferido pela igreja, precisa saber que Jesus se importa com você. Ele vê você, sabe o que lhe aconteceu e pode curar sua dor.

Se você se pergunta: "Por que Deus permitiu que isso acontecesse?", há uma passagem no final de Mateus 9 que talvez fale ao seu coração. É fácil ela passar despercebida no meio de dez histórias em que Jesus usa seu poder miraculoso de cura para salvar, transformar, reabilitar e restaurar vidas feridas e comissionar seus doze apóstolos a fim de que levem seu ministério de cura e libertação "para as ovelhas perdidas do povo de Israel" (Mt 10.5-6). No meio dessa transição, encontramos um belo versículo:

> Quando [Jesus] viu as multidões, teve compaixão delas, pois estavam confusas e desamparadas, como ovelhas sem pastor.
>
> Mateus 9.36

Observe como Mateus descreve as multidões: estão *confusas* e *desamparadas*. Ele também diz que são "como ovelhas sem pastor", uma sensação conhecida de muitas pessoas feridas por pastores e igrejas. Jesus derramou sua compaixão, seu amor, sua graça e sua redenção sobre aqueles que haviam sido ignorados pelos líderes poderosos de Israel.

Em seguida, vem uma parte para a qual eu desejo chamar sua atenção. Logo depois de demonstrar compaixão por essas pessoas desesperadas e feridas, Jesus se volta para seus discípulos e diz: "A colheita é grande, mas os trabalhadores são poucos. Orem ao Senhor da colheita; peçam que ele envie mais trabalhadores para seus campos" (Mt 9.37-38). Uma vez que há tantos feridos, Jesus diz que precisamos de muitos outros feridos que curem outros. Em outras palavras, se você é discípulo de Jesus, foi comissionado não apenas para ver e ouvir os feridos e acreditar neles, mas também para cuidar deles, atar suas feridas e curar suas aflições.

Nosso livro fala de feridos que curam e de feridos que não desistiram: mulheres e homens que fizeram a coisa certa, disseram a verdade, sofreram rejeição, intimidação e revitimização, mas que perseveraram em dizer a verdade para que ela fosse conhecida.

Este livro defende o valor redentor da igreja e, ao mesmo tempo, aceita a realidade de que pessoas falhas e caídas, entre elas pastores e outros líderes, cometem pecados, por vezes de maneiras vergonhosas e prejudiciais.

Este livro é para as mulheres e outras pessoas que fizeram alegações contra líderes de confiança e que se entristecem profundamente com a cultura doentia de sua igreja, e é para os incontáveis homens, mulheres, meninos e meninas que não relataram sua história para ninguém além de seus familiares, amigos de confiança e conselheiros. Embora talvez não tenham se pronunciado publicamente, não lhes falta coragem, nem caráter cristão, nem bondade. Por vários motivos, continuam a lidar com os traumas em silêncio, a sofrer em silêncio e a procurar cura em silêncio. Mas suas orações são ouvidas pelo Deus que cura e que, por fim, fará justiça.

Acima de tudo, este é um livro de *esperança* a respeito de um caminho melhor chamado Círculo de *Tov** (do termo hebraico que significa *bom*), e sobre o que é necessário para formar em nossas igrejas uma cultura de *bondade* que resista a abusos de poder, promova cura e erradique os efeitos nocivos desses abusos de tantas organizações cristãs. Não importa o que mais tenhamos a dizer, precisamos aprender a impedir que esses acontecimentos devastadores se repitam em outras igrejas e ministérios. Precisamos de um mapa que nos conduza do

---

* *Tov* se pronuncia com "o" longo e fechado.

ponto em que nos encontramos hoje até o lugar em que devemos ocupar como corpo de Cristo na terra.

O mapa que oferecemos está contido no termo *tov*. Usaremos esse termo ao longo de todo o livro, e ele é parte essencial do título. Para começar a entender a abrangência e a profundidade dessa palavrinha de três letras, podemos abrir a Bíblia logo na primeira página, onde ela aparece sete vezes.

Luz é *tov*,
terra e mar são *tov*,
plantas são *tov*,
dia e noite são *tov*,
animais do mar e aves são *tov*,
animais da terra são *tov*. (Gn 1.4,10,12,18,21,25)

E, então, vem a sétima ocorrência: "Deus olhou para tudo que havia feito e viu que era muito *tov*" (Gn 1.31). Tudo o que Deus criou é *tov*. E uma vez que tudo foi completado, quando todas as complexas harmonias estão formadas, a glória de Deus ecoa por toda a criação: *tov me'od*. Muito bom! Muito bem feito! Perfeito! Harmonia! Que obra-prima! Todos esses termos em nossa língua, e muitos outros, estão contidos em *tov*. Neste livro, focalizaremos a formação de igrejas para as quais Deus possa olhar e dizer: "Isso sim é *tov*!".

Primeiro, trataremos de como as culturas eclesiásticas são formadas e, por vezes, *de*formadas. Para falar sobre bondade, teremos de examinar algumas das culturas tóxicas que tornaram este livro necessário. Em seguida, falaremos dos sintomas e dos sinais de advertência comuns em culturas tóxicas. Por fim, explicaremos como criar uma cultura de bondade que incorpore o que chamamos Círculo de *Tov*.

•••

Ao começar, façamos uma oração simples, para que Deus mostre sua graça, para que Deus perdoe, para que Deus cure, para que Deus restaure pessoas a ele e umas às outras, e para que *tov* transborde em nossas igrejas.

PARTE I

A FORMAÇÃO E A DEFORMAÇÃO DA CULTURA DE UMA IGREJA

*Nunca subestime o poder que o ambiente em que você
trabalha tem de transformar gradativamente sua identidade.
Quando você escolhe trabalhar em determinada empresa,
torna-se o tipo de pessoa que trabalha nessa empresa. [...]
Ademais, viver de modo pragmático, utilitário, transforma
você em um pragmatista utilitário.*

DAVID BROOKS, *THE SECOND MOUNTAIN*

*Há mocinhos e bandidos, e os bandidos, valendo-se de
métodos ilegítimos, tentam promover um estado de
perversidade. Para que isso não aconteça, os mocinhos
precisam mobilizar suas forças, recrutar pessoas que ainda
não se posicionaram (e que correm o risco de ser seduzidas
pelos bandidos) e avançar para uma gloriosa vitória.*

ROGER C. SCHANK E ROBERT P. ABELSON,
KNOWLEDGE AND MEMORY: THE REAL STORY

*Uma organização ou cultura que perpetua abuso
questiona as motivações daqueles que fazem perguntas,
torna a discussão de problemas o problema em si,
condena os que condenam, cala os que rompem o silêncio
e ataca os que discordam.*

WADE MULLEN

*As artimanhas dessa gente sem caráter são perversas;
tramam planos maldosos
e mentem para condenar os pobres,
mesmo quando a causa dos pobres é justa.*

ISAÍAS 32.7

1
Toda igreja é uma cultura

A cultura é importante. A cultura em que vivemos ensina como nos comportar e como pensar. Aprendemos o que é certo e errado, bom e mau, ao viver em uma cultura que define esses conceitos. Adquirimos nossas intuições morais, crenças, convicções — qualquer que seja o termo de sua preferência — em comunidade, no relacionamento com outros. A cultura nos *sociabiliza* para aquilo que é considerado comportamento apropriado. Para os cristãos, isso se aplica a nossas igrejas, bem como à sociedade de modo mais amplo.

Pense nas coisas que você considerava normais, corretas e boas quando era criança. Agora pense naquilo que considera normal, correto e bom depois que se tornou cristão e adquiriu maturidade como seguidor de Jesus. Onde você adquiriu seus instintos? Da cultura em casa e da cultura dentro da igreja. Por exemplo, na cultura da igreja em que eu (Scot) cresci, aprendi que era errado ir ao cinema, que qualquer outra versão da Bíblia além da King James não era da vontade de Deus e que a fé dos metodistas, dos presbiterianos, dos episcopais e (especialmente) dos católicos era suspeita.

Todos são influenciados pela cultura. Ninguém, em lugar nenhum do mundo, é desprovido de cultura. Ninguém é desprovido de relacionamentos e de uma rede de contatos; somos todos inseridos, entretecidos, parte de um sistema. Somos todos moldados por nossas interações com outros, e essa formação se torna a cultura em que temos nossos relacionamentos e contatos, em que estamos inseridos, entretecidos e ligados de modo sistêmico.

Como qualquer organização, toda igreja é uma cultura distinta, formada, desenvolvida e perpetuada pela interação contínua entre líderes e membros. E cada cultura eclesiástica tem vida própria. Não importa como uma igreja seja organizada (com pastor titular, ministro ou padre, juntamente com pastores assistentes, curas, presbíteros, diáconos, diretores e coordenadores de ministério), os líderes conduzem os membros *em direção a* determinada cultura. Contudo, eles não são os únicos a exercer influência. Os membros também participam da formação da cultura da igreja. Portanto, embora seja verdade que líderes dirigem e, consequentemente, têm voz decisiva e, por vezes, sobrepujante na formação da cultura, é mais preciso dizer que líderes e membros formam *juntos* a cultura da igreja.

Pense nessa dinâmica da seguinte forma: Pastores e outros líderes têm voz preliminar na formação e na apresentação da *narrativa* da igreja, ao *praticar* a vida cristã para que outros vejam, *ensinar* a fé cristã e como ela é vivida e articular *diretrizes*. Exercem poder e autoridade formais a fim de criar e manter a cultura da igreja. Idealmente, fazem-no de forma benéfica. Os membros, tanto individual quanto coletivamente, adotam a cultura, mas também começam a dar *nova forma* à narrativa, *praticar* a vida cristã para que outros vejam, *passar adiante ensinamentos* da fé cristã e *rearticular* as diretrizes. Logo, os membros exercem autoridade e poder próprios para dar forma à cultura e mantê-la. Com o tempo, é a interação entre líderes e membros, entre membros e líderes, que forma a cultura da igreja. Nesse sentido, todos na igreja são "cúmplices" da cultura formada, seja ela boa, seja ela má.

Além de toda cultura eclesiástica ter vida própria, também *tem poder, perpetua a si mesma* e *está em constante mudança*. Em outras palavras, a cultura criada e desenvolvida pelo pastor, pelos líderes da igreja e por seus membros se torna um agente que reforça a si mesmo e que traz tanto *mudança* quanto *conformidade*, moldando e formando, formando e moldando. Como observa David Brooks, colunista do *New York Times*, a cultura atua sobre nós e faz com que nos conformemos a ela, como uma pessoa invisível, porém influente, que trabalha nos bastidores para nos manter na linha. Brooks descreve em seu livro *The Second Mountain* [A segunda montanha] como a cultura tem poder suficiente para nos formar à sua imagem:

> Nunca subestime o poder que o ambiente em que você trabalha tem de transformar gradativamente sua identidade. Quando você escolhe trabalhar em determinada empresa, torna-se o tipo de pessoa que trabalha nessa empresa. [...]
>
> Ademais, viver de modo pragmático, utilitário, transforma você em um pragmatista utilitário. As perguntas do tipo: "Como ser bem-sucedido?" logo ofuscam as perguntas do tipo: "Quais são minhas motivações?".[1]

Aquilo que as pessoas experimentam ao ter contato com sua igreja (seus cultos, líderes, membros, programações) define a cultura de sua igreja. Se você observar os comportamentos dos membros mais diligentes de uma igreja, verá a cultura dessa igreja em ação. Esses servos dedicados personificam a *vida* da igreja. Portanto, a cultura da igreja não é algo que acontece por acaso. Sua igreja é sua cultura, e essa cultura é sua igreja. Nunca subestime o poder transformador da cultura. Se você deseja criar uma cultura de bondade (*tov*), é de extrema importância entender que tipo de cultura sua igreja tem no presente.

A *compaixão* caracteriza a cultura de uma igreja quando os membros e os líderes interagem de modo constantemente compassivo, até que uma massa crítica de compaixão mude o rumo da cultura para que ela se torne compassiva. Quando a cultura de uma igreja é arraigada na compaixão, cria um ambiente de segurança, proteção e abertura.

A *toxicidade* cria raízes na cultura de uma igreja quando membros e líderes interagem de forma tóxica e disfuncional, até que a cultura tome o rumo da toxicidade. Quando a cultura de uma igreja se torna tóxica, é cada vez mais difícil resistir. A fim de resistir a uma cultura tóxica — especialmente quando essa cultura é famosa em razão de seus ministérios, seus líderes, seu impacto — exige-se coragem, esperança e perseverança. Nunca subestime o poder da cultura.

A má notícia e a boa notícia a respeito da cultura podem ser resumidas na mesma declaração: Uma cultura com raízes profundas é praticamente *irresistível*. Se a cultura reforçadora é tóxica, torna-se sistemicamente corrompida e corrompe as pessoas dentro dela. Como racismo, sexismo, ideologias políticas e negócios que buscam sucesso a qualquer custo, uma cultura corrompida arrasta consigo todo mundo para o fundo do poço. Em contrapartida, se a cultura reforçadora é *redentora, curativa* e *boa* (*tov*), torna-se sistemicamente boa. Uma cultura eclesiástica *tov* produzirá, instintivamente, cura, redenção e restauração.

David Brooks faz uma declaração incisiva sobre hábitos e práticas cumulativos que nos transformam ao longo do tempo:

> Quando tornamos a generosidade parte de nossa rotina diária, damos nova forma a nós mesmos. Nossa personalidade, nossa essência, tem um aspecto interessante: não é nem mais nem menos permanente que o osso da perna. Nossa essência é mutável, como nossa mente. Todas as ações que realizamos, todos os pensamentos que temos nos alteram, ainda que apenas um pouco,

30 • UMA IGREJA CHAMADA *TOV*

e nos tornam mais elevados ou mais degradados. Se realizamos uma série de boas ações, o hábito de colocar outros no centro é, aos poucos, gravado em nossa vida. Torna-se mais fácil realizar boas ações mais adiante. Se mentimos ou nos comportamos de forma insensível ou cruel em relação a alguém, nossa personalidade se deteriora, e torna-se mais fácil fazer algo ainda pior mais adiante.[2]

Organizações operam da mesma forma que indivíduos; seus hábitos formam sua personalidade. Todos nós já fomos a igrejas em que "sentimos o clima". Fomos a igrejas que pareciam organizações militares rigorosas; em outras, tivemos a impressão de caos. Outras igrejas, ainda, parecem galerias de arte, casas de espetáculo, produções teatrais ou *shows* grandiosos. Em algumas igrejas, temos a impressão de que todos se reuniram para ouvir (e até mesmo adorar) o pregador ou preletor, e todo o restante que fazem é apenas para complementar o culto. Em outras igrejas, o sermão ou a homilia faz parte de uma progressão que leva à celebração da Ceia ou Eucaristia. Nas duas últimas décadas, minha esposa, Kris, e eu (Scot) estivemos em centenas de igrejas. Muitas vezes, quando refletimos sobre uma igreja que visitamos, Kris diz algo do tipo: "Se morássemos naquela cidade, participaríamos com gosto daquela igreja".

Eu (Laura) fui recentemente a uma igreja cuja cultura talvez possa ser descrita, mais adequadamente, como "Central de Celebridades". Aqueles que estavam nas cadeiras pareciam ser fãs devotos de todos que estavam no palco. Uma das primeiras coisas que aconteceu no culto foi uma palavra de reconhecimento do trabalho excelente e fiel do pastor titular. E todos aplaudiram em pé o pastor titular.

Ao longo do culto, fiquei admirada com o número de vezes que os membros aplaudiram as pessoas no palco. Sem exagero, foram pelo menos dez vezes. Percebi que, quando algo positivo era dito a respeito da igreja, as pessoas aplaudiam, o que se tornava, em essência, aplauso para si mesmas. A cultura de aclamação dessa igreja contrastava nitidamente com a cultura da igreja que eu frequento, em que aplausos são extremamente raros. Não estou dizendo que uma dessas formas é correta ou melhor, mas não há dúvida de que as culturas são diferentes.

Formamos culturas eclesiásticas, mas, ao mesmo tempo, somos formados *pelas* culturas que ajudamos a formar. É como o casamento. Case-se com alguém e, em pouco tempo, você e seu cônjuge começarão a moldar um ao outro. Essa dinâmica mútua de moldar e formar desenvolve uma cultura de amor. Essa cultura de amor, interesse e compromisso começa a moldar você e seu cônjuge, e assim por diante. Essa é uma dimensão daquilo que a Bíblia quer dizer quando afirma que "dois se tornam um".

Infelizmente, o mesmo processo se aplica a um casamento infeliz; nesse caso, porém, você e seu cônjuge moldam um ao outro de maneiras negativas. Em vez de formar uma cultura de amor, alguns casais formam uma cultura tóxica de tensão, crítica, evasivas, comunicação inadequada e comportamento passivo-agressivo.

Qualquer que seja o caso, sempre que pessoas se unem, a formação de uma cultura é inevitável. E essa cultura molda, inevitavelmente, todos que fazem parte dela.

Cultura também diz respeito ao tom subjacente dos relacionamentos dentro da igreja. Pode ser observada nos valores e nas prioridades que regem a vida cotidiana. A cultura eclesiástica não é formada pelo lançamento de um programa (em prol de compaixão, justiça, gentileza ou bondade), não importa

32 • UMA IGREJA CHAMADA *TOV*

quão nobre seja a causa. O voluntariado não forma uma cultura. Programas podem atrair voluntários, que talvez sejam influenciados por esses programas; mas, de maneira isolada, os programas não formam uma cultura. Os poderes de persuasão do líder do programa também não. A formação de uma cultura demanda tempo; demanda relacionamentos que se desenvolvem ao longo do tempo; demanda relacionamentos caracterizados por mutualidade e cultivados com o tempo.

Por vezes, queremos mudanças porque vemos que algo não está em ordem na igreja e, portanto, lançamos um programa. Digamos que os membros da igreja sejam, em sua maioria, norte-americanos brancos e percebam, de repente, que ignoraram a cultura latino-americana em sua comunidade. Lançar um programa que invista nessa cultura ou se proponha "alcançá-la" não mudará a cultura da igreja. Talvez inicie mudanças, mas o desenvolvimento de uma igreja integrada demanda compromisso contínuo e um bocado de tempo. Demanda relacionamentos, longas conversas, ajustes e mudanças. Poderíamos entrar em mais detalhes, mas o ponto central é evidente: Culturas se formam com o tempo, e leva tempo para mudar uma cultura.

Andy Crouch, autor de *Culture Making* [Formação de culturas], nos adverte a não imaginar que cultura é simplesmente sinônimo de *cosmovisão*, isto é, como entendemos e analisamos a vida e refletimos a seu respeito. Crouch prefere definir cultura como "a forma que os seres humanos *se relacionam* com o mundo",[3] com o sentido de como *percebemos* o mundo e do que *fazemos* com ele: nossas práticas e hábitos e as coisas que criamos. Essa definição harmoniza bem com a ideia da qual estamos tratando aqui, da dinâmica mútua de formar e moldar aspectos da cultura como *agente* em constante mudança, que exerce poder e perpetua a si mesmo em nossa vida. Crouch também observa: "Falar de cosmovisão costuma deixar implícito [...] que somos capazes de encontrar novas formas de nos comportar por meio do *pensamento*. Mas a cultura não funciona desse modo. A cultura nos ajuda a encontrar novas formas de pensar por meio do *comportamento*".[4] Em outras palavras, por meio de nossas *ações*, a cultura molda nosso *pensamento*. Uma cultura boa (*tov*) nos ensina a nos comportar com bondade, e o bom comportamento molda nossos pensamentos em direção à bondade. Logo, Crouch propõe que a cultura eclesiástica é um agente que nos influencia ativamente.

Eis um exemplo, relatado pelo líder de uma igreja, de como uma cultura tóxica pode superar qualquer resistência inicial, criar uma racionalização e, por fim, mudar o comportamento do indivíduo.

> Quando eu trabalhava em uma igreja de uma grande região metropolitana [...] via com frequência outros [na equipe] ser tratados de forma ríspida e maldosa pelo pastor titular e alguns de seus protegidos. [...] Membros da equipe eram jogados uns contra os outros, o que criava inveja e competição nociva em vez de promover unidade, trabalho conjunto e fraternidade. Era uma forma de manter todos em estado de desequilíbrio e insegurança e fazer com que se esforçassem para não entrar na "lista de inimigos" do pastor titular. As pessoas eram motivadas principalmente por medo. [...]
>
> Quais foram minhas reações iniciais ao ver os abusos na equipe?
>
> - Fiquei estarrecido.
> - Fiquei feliz de não ser uma de suas vítimas.

- Racionalizei que esse comportamento ridículo devia ser "verdadeiro discipulado". [...]
- Confiei na liderança e conclui que esse tipo de treinamento era necessário para formar ministros competentes. [...]
- Imaginei que, por algum motivo, aquelas pessoas merecessem ser maltratadas. [...]
- Tive medo de ser o próximo alvo caso levantasse objeções.

E, pior de tudo, comecei a imitar esse comportamento. [...]

Certa vez, nosso pequeno grupo da igreja estava jogando vôlei em um condomínio. Deixei um dos rapazes pegar meus óculos escuros emprestados. Quando anoiteceu, ele os deixou em algum canto e não conseguiu encontrá-los depois. Ele veio me contar e, embora estivesse totalmente escuro e fosse tarde, em uma noite de semana, eu lhe disse em tom áspero: "Dê um jeito de encontrá-los".

Em outra ocasião, nosso grupo fez um piquenique. De brincadeira, uma das moças do grupo colocou um cubo de gelo em minhas costas, e eu entendi como sinal de falta de respeito da parte dela por seu líder. Dei uma bronca na moça e a humilhei na frente de todos. [...]

Não é minha intenção culpar outros por aquilo que fiz, mas a cultura de abuso costuma se expandir. Eu a aprendi, eu a pratiquei e, então, a transmiti a outros.[5]

Eu a aprendi, eu a pratiquei e, então, a transmiti a outros. A cultura é um agente formativo poderoso. Quando a cultura é tóxica, como no exemplo acima, hábitos abusivos são reforçados e repetidos.

A reflexão sobre a importância e o impacto da cultura não é novidade. A Bíblia é cheia de exemplos positivos e negativos. A Bíblia também acrescenta um elemento essencial para nosso entendimento da formação da cultura, a saber, que ela surge do *caráter* das pessoas que lhe dão forma.

Jesus, caráter e cultura

Como vimos em sucessivos colapsos de ministérios, o caráter desempenha um papel indispensável na formação, preservação e sustentação da cultura de uma igreja. Falta de caráter na liderança pode destruir, em um piscar de olhos, décadas de trabalho dedicado, visão e crescimento.

Em Mateus 12.33-35, Jesus falou sobre a centralidade do caráter, e ensinou a discernir bom e mau caráter:

> Uma árvore é identificada por seus frutos. Se a árvore é boa, os frutos serão bons. Se a árvore é ruim, os frutos serão ruins.

A respeito do mau caráter, disse:

> Raça de víboras! Como poderiam homens maus como vocês dizer o que é bom e correto? Pois a boca fala do que o coração está cheio.

E declarou, de forma correspondente, a respeito do bom caráter:

> A pessoa boa tira coisas boas do tesouro de um coração bom, e a pessoa má tira coisas más do tesouro de um coração mau.

O caráter atua de dentro para fora: o coração bom produz coisas boas, mas o coração perverso produz perversidade.

O apóstolo Paulo também focaliza o caráter, embora use a metáfora de *carne* e *espírito* em vez de árvores e frutos. Em Gálatas 5.19-23, ele faz um contraste entre seguir os desejos da carne e o fruto do Espírito. Convém observar que tanto carne quanto espírito expressam o cerne do caráter da pessoa.

Culturas tóxicas, motivadas pela carne, produzem cobiça por poder, sucesso e fama; também produzem controle pelo medo, ênfase sobre autoridade e exigências de lealdade. Esses valores talvez não sejam declarados de forma explícita, ou mesmo reconhecidos exteriormente, mas, ao envenenar o coração de um líder, produzem inevitavelmente frutos amargos, prejudicam a cultura da igreja e procuram destruir qualquer um que se oponha.

Em contrapartida, uma cultura de semelhança a Cristo, formada pelo Espírito, promove a verdade, proporciona cura para os feridos, busca oportunidades de demonstrar graça redentora e amor, focaliza o serviço a outros (em lugar de ser servido) e procura maneiras de estabelecer a justiça nos caminhos diários da vida. Uma cultura eclesiástica de semelhança a Cristo sempre tem os olhos voltados para as pessoas, pois a missão da igreja diz respeito ao amor redentor de Deus por elas.

Este livro trata das características ou hábitos das igrejas que formam uma cultura de semelhança a Cristo, ou o que desenvolveremos mais adiante como cultura de *bondade* ou *tov*. Antes, contudo, de voltar o foco para as maneiras de criar uma cultura de bondade, temos de considerar os perigos de uma cultura que se tornou tóxica. Parte de nosso propósito ao escrever é ajudar as igrejas a identificar os sinais de alerta da toxicidade. É para essa tarefa lamentável, porém necessária, que nos voltamos agora.

2
Primeiros sinais de alerta de uma cultura tóxica

Quando levamos em conta que Jesus pretendia instituir uma igreja cuja missão era "trazer as boas-novas aos pobres [...] anunciar que [...] os cegos verão, os oprimidos serão libertos, e que é chegado o tempo do favor do Senhor" (Lc 4.18-19), é uma ironia trágica que a liderança da igreja, influenciada tão fortemente pelo caráter dos líderes, possa causar tantos estragos. Neste capítulo, desejo chamar a atenção para dois sinais iniciais de alerta de uma cultura tóxica: *narcisismo* e *poder por intimidação*.

1. Narcisismo

Por algum motivo, às vezes a liderança da igreja parece atrair narcisistas aos quais sobra egoísmo e falta empatia. Quer os narcisistas simplesmente acabem chegando ao topo (o que deve ser o caso em alguma medida), quer o topo da torre de liderança atraia narcisistas (o que também deve ser o caso em alguma medida), um número excessivo de igrejas tem narcisistas na liderança. E eles são, em sua maior parte, do sexo masculino.[1]

A fim de termos qualquer esperança de desenvolver uma cultura de bondade (*tov*) em nossas igrejas, é preciso resistir a esses líderes narcisistas desprovidos de empatia, ou substituí-los. Para isso, temos de entender, primeiro, como culturas narcisistas se desenvolvem.

Já no segundo ano do ensino fundamental, alguns de meus (Laura) alunos têm fascinação por mitologia grega e romana. Talvez pelo fato de super-heróis terem se tornado tão populares na cultura contemporânea, histórias de deuses e deusas cativam a atenção. Meus grupos de leitura às vezes discutem origens de palavras para ajudá-los a desenvolver vocabulário; tratamos de ligações como Odisseu e *odisseia*, Cronos e *cronologia*, Musas e *musical* e Narciso e *narcisismo*. Li a história de Narciso para meus alunos; se você perguntar, eles dirão que é sobre um deus absurdamente bonitão que se apaixonou pela própria imagem. Há algumas diferenças entre as versões grega e romana do mito, mas o enredo é o mesmo: Certo dia, Narciso vai até uma lagoa ou um lago, vê seu reflexo na água, e fica encantado. Uma vez que é apenas uma imagem, porém, ele não tem como obter o objeto de sua afeição. Consequentemente, acaba morrendo de tristeza (versão grega) ou comete suicídio (versão romana).

"O que esse mito nos ensina?", pergunto a meus alunos. "O que podemos aplicar a nossa vida?"

Alguém sempre responde: "Ele precisa parar de olhar para si mesmo" ou "Ele passou tempo demais olhando para si mesmo".

Ao conversar sobre o *motivo* pelo qual Narciso olhou para si mesmo, eu os conduzo a uma definição de narcisismo como esta: "Narcisistas são pessoas que se preocupam apenas consigo mesmas, com sua aparência e com o que outros pensam delas".

Meus alunos se mostram honestos e discernentes em suas reações: "Ele não deveria fazer uma coisa dessas", dizem eles.

É fácil colocar em outros o *rótulo* de narcisista e deixar por isso mesmo. Mas e se o narcisismo é, na verdade, algo *perigoso*? Precisamos entender melhor esse tipo de personalidade, pois (infelizmente) há uma preponderância de narcisistas em nossas igrejas. Temos de desenvolver a aptidão de reconhecê-los antes que possam causar estragos.

A Clínica Mayo fornece uma definição útil:

O transtorno de personalidade narcisista [...] é um transtorno mental em que as pessoas têm percepção exagerada de sua própria importância, necessidade excessiva de atenção e admiração, relacionamentos conturbados e falta de empatia por outros. No entanto, embora os narcisistas pareçam extremamente seguros de si, por trás dessa máscara se encontra uma autoestima frágil e vulnerável às mais tênues críticas.[2]

Embora o narcisista talvez tenha aquilo que costuma ser chamado "personalidade forte", essa aparente força muitas vezes disfarça insegurança e profunda necessidade de se sentir superior e bem-sucedido. O empenho egoísta em obter importância leva pastores narcisistas a se cercar de admiradores. Rompem o relacionamento com pessoas que não os valorizam e os honram como eles desejam. Muitas vezes, narcisistas são atraídos para junto de facilitadores, pessoas que preparam o caminho para que o narcisista chegue ao poder, ou, pelo menos, não levantam obstáculos. O termo usado para descrever esses facilitadores é *bajuladores*, aqueles que adulam quem ocupa cargos de poder e influência a fim de também obter poder e influência. Alguns pastores incentivam bajuladores e, em pouco tempo, o conselho de presbíteros ou de diáconos é tomado de lisonjeadores maleáveis à vontade do pastor e que, muitas vezes, não se mostram dispostos a enfrentá-lo com firme (e necessária) supervisão bíblica.

Plutarco, ensaísta e filósofo romano, escreveu o tratado *Como distinguir o bajulador do amigo*, que faz uma descrição precisa de líderes e construtores de impérios. O título do ensaio é suficiente para entender sua argumentação: a última coisa que uma mulher ou um homem poderoso precisa é de aduladores que lhe sussurrem doces palavras de afirmação o dia inteiro, e a primeira coisa que essa pessoa precisa é de um amigo que fale com franqueza. A Bíblia diz: "As feridas feitas por um amigo sincero são melhores que os beijos de um inimigo" (Pv 27.6). Amigos não deixam amigos se tornarem narcisistas.

Como os narcisistas vão parar na liderança das igrejas? Será que as igrejas dão poder demais a seus pastores e criam neles a tentação de demonstrar qualidades narcisistas? Ou será que narcisistas procuram, ambiciosamente, obter mais poder na igreja? A resposta provavelmente é: *as duas coisas*. De qualquer modo, um dos problemas mais sérios nas igrejas de hoje é a busca por poder empreendida por pastores e líderes narcisistas.

É comum o narcisista desejar que sua igreja seja considerada a *maior*, a *melhor* e a *mais influente*, em razão da glória que lhe traz como líder. Elogiar a igreja do narcisista é o mesmo que elogiar o próprio pastor. Logo, quem ousa criticar o pastor narcisista é atacado por ele por ameaçar o prestígio da "melhor igreja de todos os tempos" e a autoimportância do pastor.

Uma vez que a autoimagem do narcisista e a reputação da igreja são entrelaçadas de modo tão próximo, a raiva é uma reação comum a críticas, quer essas críticas realmente sejam expressadas, quer o pastor apenas se sinta criticado. Por vezes, a raiva é mantida debaixo dos panos e se manifesta em forma de hostilidade velada, taciturnidade ou ações passivo-agressivas; não há dúvida, porém, de que a raiva está fervilhando no coração do narcisista criticado.

Repetidamente, ao longo de nosso estudo, ouvimos ou lemos histórias de pastores extremamente sensíveis a críticas (ou ao que lhes pareceram ser críticas). Eis um exemplo esclarecedor da *Avaliação de governança da Willow Creek*:

> No passado, análises de desempenho eram um processo doloroso para os presbíteros em razão dos rompantes defensivos do pastor titular. O conselho fez melhorias no processo para que fosse mais tranquilo e incluísse observações de todos que se reportavam diretamente a ele e de todos os pastores da equipe. Infelizmente, a equipe de liderança foi advertida por seus colegas a não tecer comentários negativos que pudessem ser associados a eles, por medo de repercussões do pastor titular. Consequentemente, a maioria dos comentários negativos não era apresentada para a comissão de análise de desempenho, e quando havia alguma observação negativa, era feita de maneira genérica. Alguns membros do conselho pediram que certos comentários negativos fossem atenuados, pois lhes pareceu que, tendo em conta as possíveis repercussões, não valia a pena registrar esses comentários.[3]

Para o narcisista, tudo é uma questão de controle. Por isso, pastores narcisistas de igrejas grandes e pequenas têm a tendência de se sentir atraídos por igrejas não denominacionais ou desprovidas de estruturas eclesiásticas de prestação de contas. Preferem dessa forma. Um ex-pastor de uma denominação chamou minha atenção recentemente para o fato de que também existem pastores e líderes narcisistas em igrejas denominacionais. No entanto, igrejas independentes são especialmente propícias para líderes que não desejam ser supervisionados nem responsabilizados por sua conduta. Ronald Enroth, especialista em igrejas e pastores disfuncionais, fala a esse respeito:

> É minha opinião, baseada em extensa pesquisa e em observação informal, que líderes autoritários são lobos solitários eclesiásticos. Em outras palavras, não trabalham bem, nem de boa vontade, no contexto de freios e contrapesos. São ferrenhamente independentes e se recusam a participar de uma estrutura de prestação de contas. Podemos dizer, de modo não muito delicado, que são um espetáculo espiritual com um só integrante. E coitado de quem se colocar em seu caminho ou criar caso. Sim, por vezes vão dizer que têm um conselho de presbíteros ou algo equivalente, mas é bastante provável que se trate de um fiel grupo de clones que aceita implicitamente tudo o que o líder propõe.[4]

A *Avaliação de governança da Willow Creek*, realizada pouco mais de um ano depois que as acusações contra Bill Hybels se tornaram públicas, destaca os perigos de ter um pastor titular que, na verdade, não presta contas a ninguém:

> Seja em decorrência da celebridade do pastor, de seus mais de quarenta anos de experiência, de suas declarações enérgicas ou de medo de seus acessos de raiva, quando havia desentendimentos o conselho muitas vezes cedia e acatava as decisões do pastor titular. Não era um conselho que dizia amém para tudo, mas, com frequência, seus membros aquiesciam caso o pastor titular assumisse um posicionamento firme. Em geral, como indivíduos, os membros do conselho eram competentes, mas sua atitude como grupo era, em última análise, de deferência. Quando o pastor titular se pronunciava com severidade, muitos membros logo entravam na linha. [...] Infelizmente, é difícil um conselho exigir que um pastor preste contas além da medida em que ele está disposto a se sujeitar.[5]

Outras questões, entre vários fatores que "levaram à redução da eficácia do conselho de presbíteros durante a crise e [...] à quebra de confiança entre o conselho e os demais membros da equipe da igreja", foram a "celebridade do pastor" Bill Hybels e seu "comportamento controlador", o fluxo restrito de informações, uma cultura de medo, decisões por meio de consenso e falta de prestação de contas efetiva.[6] Por vezes, é quase impossível resistir a líderes poderosos.

2. Poder por intimidação

Talvez a tentação mais comum para líderes de igreja seja usar sua suposta autoridade e seu cargo como armas com poder para ferir e até matar. Quando um líder empunha seu poder como uma espada, forma-se uma cultura que se adapta à ameaça cortante do medo. Poder e medo são companheiros chegados. Combinados com narcisismo, promovem, inevitavelmente, uma cultura tóxica.

É possível que o desencaminhamento de duas das igrejas mais conhecidas da grande Chicago se deva, em grande medida, à cultura de medo que havia tomado conta de ambas. De acordo com várias de nossas fontes, a expressão "temor de Bill" era comum na Willow Creek, fato confirmado por uma investigação independente.[7] Presbíteros e membros da equipe da igreja tinham enorme dificuldade de confrontar Bill Hybels e evitavam questioná-lo por medo de suas fortes reações.[8]

Na Harvest Bible Chapel, de acordo com uma reportagem de Julie Roys para a revista *World*, "ex-presbíteros, funcionários e membros da igreja [...] afirmaram que a Harvest promove uma cultura de abuso e medo, em que aqueles que questionam a liderança são castigados".[9] Dois ex-presbíteros da Harvest foram formalmente expulsos da igreja e difamados em um vídeo que explicava essa medida para os membros da igreja, depois que ambos persistiram em questionar decisões tomadas pelo conselho. Um dos membros do conselho chegou a dizer que "expressar em público perspectivas rejeitadas pela maioria dos presbíteros, por qualquer motivo que seja, é uma atitude cabalmente satânica".[10]

Quando outros líderes da igreja se tornam cúmplices do abuso de poder pelo pastor, uma sombra assustadora se projeta sobre o restante da igreja, e os membros relutam em se pronunciar. Gordon Zwirkoski, um dos diretores da equipe da Harvest, afirmou que James MacDonald alimentava "na equipe um espírito de medo, quase terror".[11] Além disso, MacDonald só podia ser removido do cargo de pastor "por voto unânime de todo o conselho de presbíteros e da comissão executiva", da qual o próprio MacDonald era membro.[12]

Uma vez que uma cultura de medo se forma em uma igreja, é quase impossível voltar atrás. Como disse um historiador da Grécia antiga, ao se referir a um de seus líderes mais poderosos, "a Tirania [...] era um lugar encantador, mas não tinha saída".[13] Por isso, precisamos reaprender a pensar de forma bíblica e viver em uma narrativa diferente, isto é, em uma história de bondade. A estudiosa do Antigo Testamento Ellen Davis expressa essa realidade perfeitamente: "Os sábios de Israel ensinam que quem deseja ser sábio não deve ter como objetivo o poder, mas, sim, a bondade".[14] Poder e bondade não são amigos chegados.

Ronald Enroth, especialista em líderes autocratas de igrejas, mostra que a tirania promove uma cultura abusiva, pautada pelo medo:

Soberano é o termo correto para descrever o tipo de pessoa que ocupa um cargo de liderança autoritário. [...] São tiranos espirituais que sentem prazer perverso em exigir obediência e subordinação de seus seguidores. É importante reconhecer que a liderança depende de disposição de seguir e, de uma perspectiva verdadeiramente cristã, isso significa cooperação *com* o líder, e não domínio e controle exercidos *pelo* líder. A fonte de liderança cristã legítima se encontra, portanto, em *autoridade confiada* ao líder.

O autocrata espiritual, o ditador religioso, procura impor subordinação; o líder cristão verdadeiro pode, de forma legítima, apenas fazer aflorar a disposição de segui-lo.[15]

Precisamos tratar mais extensamente dos abusos de poder, pois culturas eclesiásticas baseadas em poder e medo estão se tornando cada vez mais comuns. Eu (Scot) vi no rosto de muitos (especialmente de mulheres) um testemunho da dura realidade e da intensa dor provocada por esses pastores. Portanto, temos de nos aprofundar um pouco mais na dinâmica da cultura de poder e medo, pois, uma vez que ela cria raízes, é extremamente difícil arrancá-la.

Pesquisas recentes mostram indícios assustadores dos efeitos que o poder exerce sobre o cérebro humano. Por exemplo:

Indivíduos sob a influência de poder [...] agiam como se houvessem sofrido uma lesão cerebral traumática que os tornava mais impulsivos, menos conscientes de risco e, algo de importância vital, menos capazes de enxergar as coisas da perspectiva de outros.

Sukhvinder Obhi, neurocientista da Universidade McMaster, em Ontário, descreveu em tempos recentes algo semelhante. [...] Ao colocar a cabeça de poderosos e de não tão poderosos sob uma máquina de estimulação magnética transcraniana, Obhi descobriu que, na verdade, o poder prejudica um processo neurológico específico chamado "espelhamento", que possivelmente é um dos fundamentos da empatia. Esse fato confere base neurológica para o que [Dacher] Keltner chamou "paradoxo de poder": uma vez que temos poder, perdemos parte das aptidões das quais dependemos para obtê-lo inicialmente.[16]

Se não conseguimos espelhar ou imitar, perdemos a capacidade de ter empatia por outros. Esse déficit de empatia nos poderosos é acompanhado daquilo que os cientistas comportamentais David Owen e Jonathan Davidson chamam *síndrome de arrogância*. "A síndrome de arrogância é um transtorno da posse de poder, especificamente de poder associado a sucesso estrondoso, que se estende por anos e com restrições mínimas impostas sobre o líder."[17] Alguns dos sintomas são: "preocupação desproporcional com imagem e apresentação; [...] desprezo pelos conselhos e críticas de outros; crença exagerada em si mesmos [...] naquilo que podem conquistar pessoalmente; [...] perda de contato com a realidade; [...] inquietação, imprudência e impulsividade".[18]

Quando líderes adquirem poder, o poder em si se torna um agente que, por vezes, reduz a capacidade de empatia e compaixão do líder, especialmente em relação aos impotentes (como é o caso das mulheres em muitas igrejas). Essa arrogância egocêntrica pode levar o caráter pessoal do pastor moldado pelo poder a perder contato com a própria essência do cristianismo. Falaremos mais sobre isso adiante.

Para resumir o tipo de cultura que se forma quando narcisistas obtêm poder e usam o medo para manter as pessoas na linha, identificamos oito indicadores que qualquer um pode usar para avaliar a cultura de sua igreja.

Oito fases da cultura do poder por intimidação

Uma realidade inescapável é que muitos cristãos, alguns deles vítimas de terríveis abusos, têm pavor de falar daquilo que viram ou ouviram na igreja. Viveram em uma cultura de medo, e o medo os silenciou. Como uma cultura de medo se desenvolve? A nosso ver, há oito fases na formação de uma cultura de poder por intimidação.

1. Começa quando *poder e autoridade são conferidos a um indivíduo* — com frequência (mas nem sempre), um *pastor* e, com frequência (mas nem sempre), um *homem* — e pode se espalhar para outros líderes e influenciadores dentro da igreja. Esse poder vem do cargo, das aptidões, da persuasiva e do sucesso percebido desse pastor. Outros líderes, alguns dos quais são bajuladores que pegam carona no desejo insaciável por glória do narcisista, ratificam esse poder e, com isso, o intensificam. A glória começa a ser distribuída: o pastor apoia um presbítero, e esse presbítero apoia outro, que apoia um membro da igreja. Em pouco tempo, o pastor se vê cercado de produtores de poder e glória que lhe devem favores.

2. *O padrão-ouro passa a ser a aprovação do pastor.* Aqueles que o pastor aprova são aprovados. Igrejas que desenvolvem uma cultura de medo quase sempre desenvolvem, também, a ideia de uma ligação entre o poder do pastor e a aprovação de Deus. É uma enfermidade, uma doença contagiosa, e pode ser terminal para a saúde espiritual da igreja.

Um estudo realizado por Mark Allan Powell, professor luterano de seminário, mostrou "quão diferentemente o pastor e os membros da igreja interpretam as Escrituras".[19] Em seu livro *What Do They Hear?* [O que eles ouvem?], Powell faz uma observação interessante: Quando leigos

48 • UMA IGREJA CHAMADA *TOV*

leem os Evangelhos, identificam-se com os discípulos, ou com os marginalizados mencionados nos relatos. Quando pastores leem as mesmas narrativas dos Evangelhos, identificam-se com Jesus. Por quê? Talvez porque, quando pastores pregam histórias da Palavra de Deus, são porta-vozes de Deus. Em pouco tempo, começam a identificar-se mais com Jesus que com aqueles que carecem de graça. Isso explica, em grande medida, a questão da qual estamos tratando aqui: Pastores poderosos são associados facilmente demais com Deus na mente dos membros da igreja. Por isso, a aprovação dos pastores é importante. Muitos nas igrejas parecem imaginar que "se o pastor me aprova, então Deus deve me aprovar também". E alguns pastores talvez queiram que seus membros pensem dessa forma.

3. *Aqueles que são aprovados pelo pastor autocrata adquirem mais prestígio.* Quando membros da igreja recebem o apoio e a aprovação do pastor (considerado mensageiro ungido por Deus, autoridade religiosa que fala em nome de Deus), tornam-se parte da "panelinha", "relevantes" e, em muitos casos, "poderosos". Sua autoestima sobe, pois se sentem "descolados" e aceitos e ficam um tanto embriagados com seu novo prestígio.

Eu (Scot) tive muitas conversas ao longo dos anos com jovens líderes que haviam adquirido cargos importantes em uma megaigreja. Embora todos fossem talentosos (e, portanto, dignos de sua nova vocação), era evidente que estavam desfrutando seu novo *status* de maneiras das quais não tinham consciência. Não há nada de errado em ter prazer em um novo trabalho ou em uma promoção dentro da igreja. Minha preocupação, contudo, e o que, a meu ver, é potencialmente perigoso, é que esses jovens líderes sentiam que haviam adquirido mais prestígio ao obter a aprovação de um pastor autocrata.

Eis um exemplo: Em um congresso, conheci uma jovem que trabalhava em uma megaigreja. Ela me disse que toda vez que chega de carro à igreja, precisa se beliscar para ter certeza de que não está sonhando. E, em seguida, observou: "Trabalhar aqui faz com que eu me sinta importante de verdade". Isso é aquisição de prestígio.

4. *O poder é uma espada de dois gumes*. O poder da aprovação e a capacidade de aumentar o prestígio de outros têm outro lado: o poder de *desaprovar* e de diminuir o prestígio. Líderes autocratas empunham, visivelmente, uma espada de dois gumes. De maneiras sutis e não tão sutis, deixam claro que podem usá-la quando bem entenderem (e quase ninguém pode detê-los).

5. *A cultura de poder se transforma em uma cultura de medo*. Aqueles cujo prestígio vem da aprovação do pastor vivem com medo constante de ser alvo de sua desaprovação a qualquer momento. Talvez a igreja fale do amor incondicional de Deus, mas em uma cultura moldada pelo medo o que vale é a aprovação condicional. Em algumas culturas de medo, o pastor autocrata, os líderes e o "grupo de aprovação" controlam a narrativa e fornecem *feedback* positivo suficiente para que as pessoas pelo menos imaginem que sabem onde se encontram na escala de aprovação. Contudo, a espada de dois gumes está sempre presente e, em algumas igrejas, sempre à mostra.

Eu (Laura) creio que experimentei a fase de desaprovação pessoalmente na Willow Creek. Perdi amizades (entre elas, uma de décadas) por causa daquilo que disse nas redes sociais e porque me recusei a pedir desculpas por minhas críticas aos posicionamentos da igreja diante dos acontecimentos. Senti o lado inverso da lâmina, pois minhas palavras não atendiam às condições necessárias para receber aprovação. Quase todas as vítimas, quase todos os defensores que se pronunciaram abertamente e quase todas as pessoas que resistiram com os quais conversei falaram da perda de relacionamentos. As mulheres que apresentaram as primeiras alegações, e aqueles que as apoiaram, sofreram coisas ainda piores. O grupo de aprovação da Willow Creek se uniu e mostrou para nós como sua lâmina era afiada.

6. *Julgamentos e decisões acontecem por trás de um véu de segredo.* Em uma cultura de poder por intimidação, o pastor poderoso e seus companheiros mais próximos decidem quais informações serão divulgadas e quais serão retidas. Os membros logo aprendem que o privilégio de saber o que está acontecendo é reservado apenas para os que fazem parte da "panelinha". Pessoas entregam seus cargos e saem da igreja sem maiores explicações, porque foram "chamadas para um novo ministério", e só os que estão mais próximos do poder sabem os verdadeiros motivos. Essa forma de sigilo induz medo em outros membros da equipe e serve para mantê-los na linha. Quando alguém sai, é incentivado a "terminar bem", ou seja, "permanecer calado". O sigilo é preservado.

7. *Por trás do véu de sigilo, um medo constante de perder prestígio fica à espreita.* Junto com o medo de ser rebaixado, tirado da "panelinha" e empurrado para as margens, ou mesmo expulso, também há o medo de ser humilhado ao ter seu prestígio publicamente revogado. Vergonha nasce da experiência de ser humilhado. Todas essas experiências humanas intensas (perda de prestígio, rebaixamento, vergonha e humilhação) são

inevitáveis em uma cultura de medo, e sua presença é sinal de alerta para a existência dessa cultura.

Bill Hybels, em seu livro de 2008 *Axiomas*, escreveu um capítulo chamado "Desenvolva um sistema de informantes", em que descreve "conduítes de comunicação" que ele formou na Willow Creek:

> Faço um acordo intencional em que eles [os informantes] me fornecem informações com regularidade sobre os cultos de domingo, sobre palestras em congressos, ou sobre como estamos nos saindo em um departamento recém-reorganizado. [...] Com todas essas pessoas, quer elas saibam que estão atuando como minhas "informantes" quer não, as linhas de comunicação permanecem completamente abertas.[20]

A princípio, essa abordagem pode parecer legítima. Hybels descreve a liderança responsável e a importância de entender uma organização. Em seguida, porém, ele diz:

> Aqueles que se reportam diretamente a mim precisam saber que tenho outras fontes de informação além de nossas reuniões semanais. Se estiverem trabalhando com dedicação e mantendo-me informado, minhas conversas [com os informantes] [...] não precisam ser motivo de preocupação. E, se estiverem tentando projetar uma imagem mais positiva que a realidade, não me importo que saibam que provavelmente acabarei descobrindo.[21]

Que impressão essas palavras transmitem? Indução de medo. "Não me importo que saibam que provavelmente acabarei descobrindo" é típico da mentalidade de poder por intimidação. O mesmo se aplica a ter um "sistema de informantes" estrategicamente elaborado. O uso em si do termo

52 • UMA IGREJA CHAMADA *TOV*

informante traz à mente imagens de espiões e agentes secretos. Qual é o propósito de um informante? Transmitir informações secretamente. Bill Hybels usava as informações obtidas por meio desses "conduítes de comunicação" para instilar medo, e os informantes sabiam do poder ao qual estavam sujeitos caso falhassem. Uma pessoa relatou: "Bill tinha informantes na igreja toda. Quando ocorria um problema durante o culto ou em uma reunião, eu recebia uma ligação de Bill de imediato. Ele não tinha participado da programação, mas alguém havia lhe informado em segredo". Esse é um comportamento baseado em poder e que provoca medo.

8. A última fase da cultura autoritária e que provoca medo é algo que não causa surpresa: *a remoção do indivíduo do círculo privilegiado*. A expulsão é a expressão máxima de desaprovação pastoral. É vivenciada como rejeição total e, não raro, dá a sensação de desaprovação do próprio Deus. Uma vez que pessoas dentro de uma cultura de medo são removidas do círculo privilegiado, pode acontecer de perderem a fé; com mais frequência, precisam de algum tratamento para a saúde mental. Leva anos para alguns voltarem a confiar em pastores e líderes, e muitos desenvolvem um olhar aguçado para sinais de uma cultura de medo. Jill Monaco, ex-assistente executiva na Harvest Bible Chapel, escreveu sobre sua saúde mental depois de sair do círculo privilegiado dessa megaigreja:

> Para dizer a verdade [...] não é fácil desintoxicar-se do medo. Depois que saí da HBC, tinha um medo paralisante de cometer deslizes ou tomar decisões erradas. O medo imperava e controlava muitas de minhas decisões. Sacrificava aquilo que era benéfico para mim a fim de manter a paz. [...] Em organizações saudáveis, não deve haver medo de fracassar, medo de outras pessoas, medo

de autoridade, medo de independência, medo das represálias por dizer a verdade, medo de fofocas, etc.[22]

Entristece-nos profundamente ver o medo ser usado para controlar e calar outros. Esse é o polo oposto do caminho *tov* de Jesus.

O que fazer se você começar a identificar sinais de alerta de uma cultura eclesiástica tóxica? Você deve dizer o que pensa? Como se expressar? O que acontecerá se você o fizer? É disso que trataremos em seguida.

3
Como culturas tóxicas reagem a críticas

Quando há uma alegação contra um pastor, um líder ou um voluntário da igreja, aquilo que o pastor ou a liderança faz *primeiro* revela a cultura da igreja, se ela é tóxica ou *tov*. Se a reação é *confissão* e *arrependimento*, ou *compromisso de descobrir a verdade* caso todos os fatos ainda não sejam conhecidos, é provável que essa igreja tenha uma cultura saudável e *tov*. Em contrapartida, se o primeiro instinto do pastor é a negação, alguma forma de narrativa do que "realmente aconteceu" ou um posicionamento defensivo contra "aqueles que desejam atacar a igreja ou o ministério", há elementos tóxicos operando na cultura dessa igreja.

Quando o *Chicago Tribune* publicou o primeiro artigo sobre a Willow Creek Community Church, com detalhes de algumas das alegações iniciais feitas contra Bill Hybels, ele procurou controlar a narrativa ao negar de modo categórico e até veemente todas as acusações, tanto aos repórteres do *Tribune* quanto aos membros da Willow Creek em uma "reunião de família" convocada às pressas. Procurou reformular a narrativa como se fosse um caso de vingança pessoal por parte de vários antigos colegas e membros da equipe:

As mentiras a respeito das quais vocês leram no artigo do jornal *Tribune* são instrumentos usados por esse grupo para tentar me impedir de chegar ao fim do mandato aqui na Willow com minha reputação intacta. [...] Vários dos incidentes mencionados nas alegações supostamente ocorreram mais de [vinte] anos atrás. O fato de terem sido trazidos à tona agora e reunidos de forma calculada mostra a determinação desse grupo de fazer o máximo de estrago possível.[1]

A tendência de líderes em uma cultura tóxica de negar, negar e negar ao ser confrontados com alegações também pode ser observada em um artigo sobre Paige Patterson, ex-presidente do Seminário Teológico Batista do Sudoeste, demitido de seu cargo em 2019.

Em uma resposta entregue em 26 de agosto ao tribunal federal, Paige Patterson, outrora líder importante da Igreja Batista do Sul, valeu-se da defesa com base na liberdade religiosa e **negou** a maior parte das alegações em um processo legal a respeito da forma que ele tratou denúncias de abuso sexual.

Patterson [...] **negou** que o Seminário Batista do Sudoeste em Fort Worth, Texas, fosse um lugar perigoso para mulheres quando ele foi presidente dessa instituição, de 2003 até sua demissão no ano passado, aos 76 anos.

Também **contestou** relatos de uma reunião particular com uma das ex-alunas [...] e afirmou que quaisquer informações transmitidas nessa conversa são protegidas pela Cláusula de Livre Exercício da Primeira Emenda da Constituição dos EUA.

Em um processo legal iniciado em maio no Tribunal Distrital dos EUA em Sherman, Texas, uma mulher do estado de Alabama [...] afirmou que havia sido assediada e, depois, atacada sexualmente várias vezes por um aluno que trabalhava no *campus* como encanador.

De acordo com a mulher, Patterson se **recusou** a crer em seus relatos até que teve a oportunidade, nas palavras dele próprio, de "quebrá-la". A mulher afirmou que em uma reunião em agosto de 2015, da qual a mãe dela também participou, Patterson **defendeu** a decisão de aceitar como aluno esse suposto predador sexual, a **interrogou** para saber se o sexo havia sido consensual e lhe **disse** que, em última análise, o estupro poderia ser "algo bom", pois o homem certo para ser marido dela não se importaria de ela não ser virgem.

Patterson **negou** todas essas alegações e disse que qualquer mal feito à mulher era resultado de ações que não tinham nenhuma ligação com ele. Disse que tentar responsabilizá-lo pela conduta delegada a outros pelos documentos que regem uma instituição religiosa como um seminário seria uma violação da Primeira Emenda. [...]

Em sua resposta legal, Patterson **contestou** a caracterização de seu comportamento e a considerou "extrema e absurda". Também **negou** que houvesse compartilhado informações falsas a respeito [da mulher] para que fossem divulgadas.[2]

Em uma palestra sobre abuso sexual na igreja em um congresso da Convenção Batista do Sul, Boz Tchividjian, fundador e ex-presidente da organização Godly Response to Abuse in the Christian Environment (GRACE) [Resposta Piedosa ao Abuso no Ambiente Cristão] disse aos participantes: "O sistema dessa denominação está quebrado".[3]

Descobrir e dizer a verdade

Em uma cultura saudável e *tov*, líderes evitam negações e narrativas enviesadas e preferem descobrir e dizer a verdade, mesmo que ela seja dolorosa. Jim Van Yperen, fundador e presidente da organização Metanoia Ministries, cuja missão é "descobrir e adotar reconciliação como modo de vida", recomenda um processo de sete passos "para a comunicação pública de pecado sexual na igreja (seja a confissão pública de um pecador, seja uma declaração pública feita pela liderança)".[4] Esses passos são:

1. Proferir a Palavra de Deus, isto é "usar as palavras que Deus usaria para descrever o pecado".
2. Ser específico e sucinto, honesto e direto.
3. Assumir responsabilidade incondicional e abrangente.
4. Expressar remorso sincero e pedir perdão humildemente.
5. Sujeitar-se a mudanças.
6. Fazer reparação apropriada.
7. Buscar plena reconciliação, com uma ressalva importante: "O objetivo da reconciliação é restaurar o pecador à comunhão, e não restaurar o líder ao poder".[5]

Em nossa pesquisa, encontramos uma reação compassiva, justa e verdadeira a acusações de abuso em uma igreja presbiteriana em Lexington, Kentucky. O pastor titular da igreja, Robert Cunningham, teve uma atitude de tanta bondade, gentileza e sinceridade que eu (Laura) fiquei comovida ao ler suas postagens sobre o passado de sua igreja e suas esperanças para o futuro. No dia em que reli a história de Robert Cunningham, ele postou uma frase bastante apropriada no Twitter: "A verdade e o amor não são convenientes. Escolha-os mesmo assim".

Em novembro de 2017, Cunningham tuitou em meio ao movimento #MeToo:

Que venham à tona as histórias. Deixem-nas aflorar. [...] Que cheguem ao fim todas as tentativas de desviar a atenção ou defender-se e que, em seu lugar, possamos ouvir e aprender com a coragem dos que sofreram abuso. Eles são nossos profetas de hoje, com vozes que não permitirão mais que nos escondamos ou ignoremos a epidemia. [...] A purificação há muito necessária começou, e que ela não cesse enquanto toda a escuridão oculta não enfrentar a luz da justiça.[6]

Em junho de 2018, em uma clara demonstração de coragem, compaixão e compromisso com a verdade, ele postou novamente essas palavras no site de sua igreja com o seguinte acréscimo:

Ainda creio nisso. Que tudo venha à tona. Que a purificação continue sem hesitação, mesmo que seja o passado de minha igreja que precise ser purificado.[7]

Em seguida, Cunningham revelou a verdade a respeito de Brad Waller, ex-pastor de Tates Creek responsável pelos ministérios da igreja com jovens e universitários entre 1995 e 2006. Waller havia cometido "abuso de poder contra menores de idade e rapazes sob seus cuidados".[8] Uma vítima descreveu um estranho incidente de fetiche por pés, envolvendo Waller, em um evento para jovens fora da igreja:

Lembro-me de estar dormindo em uma barraca e de acordar com algo tocando meu pé. Ao despertar e olhar para baixo, percebi que era Brad, o pastor Brad. Estava com o rosto junto a meus pés. [...] Não me lembro de vê-lo entrar na barraca.[9]

Por fim, Waller confessou práticas pecaminosas de abuso, mas disse que nunca foram além de carícias nos pés, embora de natureza erotizada.[10] Quando Cunningham ficou sabendo do que Waller havia feito, notificou os membros da igreja de imediato. Disse: "Fomos atrás de cada nome que recebemos e, por meio desse processo, também vieram a lume outros atos de abuso".[11]

> Para resumir do modo mais claro possível: tomamos conhecimento de que Brad Waller abusou sexualmente de meninos e homens sob seus cuidados como pastor da Igreja Presbiteriana Tates Creek (IPTC). Embora todas essas condutas indevidas tenham ocorrido mais de uma década atrás, ainda assim a liderança de nossa igreja está decidida a tratar dessa notícia terrível com a mais absoluta sinceridade, urgência e transparência, motivo pelo qual escolhemos publicar essa declaração inequívoca.[12]

Cunningham tomou conhecimento do abuso e, em resposta, notificou pastores, presbíteros e os membros da igreja, convocou uma assembleia para transmitir informações e responder a perguntas, relatou a ocorrência à polícia (que se recusou a investigar em mais detalhes) e contratou alguém de fora para realizar uma investigação minuciosa.

> Na presente situação, entregamos o controle da investigação e estamos abertos para todas as constatações e correções. [...] O processo implicará vulnerabilidade para a instituição. Em essência, pedimos que se faça uma auditoria independente de abuso sexual em nossa igreja, mas queremos que todos saibam que a IPTC não deseja ocultar nada. *Não estamos negando que foram cometidos erros, mas, sim, dizendo que não queremos escondê-los.* Desejamos ter a oportunidade de pedir perdão e nos arrepender de qualquer maneira que se faça necessária. Também desejamos estar mais preparados (tanto em diretrizes quanto com treinamento) para fazer todos os esforços possíveis a fim de evitar que algo semelhante volte a ocorrer na IPTC. Portanto, acolhemos essa investigação, bem como suas constatações e aplicações.[13]

60 • UMA IGREJA CHAMADA *TOV*

Cunningham pediu perdão publicamente e especificamente às vítimas de Waller, aos membros da Tates Creek e a toda a comunidade de Lexington. Quando a organização GRACE completou a investigação, Cunningham colocou o relatório no site da igreja.[14]

O que mais impressiona é que Robert Cunningham não fazia parte da equipe da Tates Creek quando esses abusos ocorreram. E, no entanto, mostrou-se determinado a tentar colocar as coisas em ordem, ser o mais transparente possível e procurar promover cura para as vítimas. Sentiu-se responsável diante da igreja e das vítimas por fazer o que era preciso, embora os acontecimentos tivessem ficado no passado distante. Pediu perdão pelo pecado de um *ex*-pastor.

Em nosso parecer, Tates Creek tem uma cultura *tov*. Portanto, demonstrou bondade para com seus membros e possibilitou que uma situação tóxica também redundasse em bondade.

Distorções de Mateus 18

Outro método que líderes em culturas eclesiásticas tóxicas por vezes usam para controlar a narrativa é atacar a *forma* que as críticas ou alegações de conduta indevida são apresentadas. Na Willow Creek, por exemplo, foi dito às mulheres e a seus apoiadores, segundo os quais Bill Hybels havia se portado de forma inapropriada, que deveriam ter "seguido Mateus 18" e, primeiro, conversado pessoalmente com Bill. A princípio, esse recurso às Escrituras parece correto. É bom seguir a Bíblia, exceto quando "seguir a Bíblia", na verdade, *não* é seguir a Bíblia. Eis o texto de Mateus 18.15-17, acompanhado de breves comentários:

> Se um irmão pecar contra você, fale com ele em particular e chame-lhe a atenção para o erro.[15]

Por vezes, esse tipo de conversa funciona:

> Se ele o ouvir, você terá recuperado seu irmão.

Em outras ocasiões, porém, não funciona. Não há estatísticas a esse respeito, mas algumas pessoas jamais reconhecerão que fizeram algo de errado. Talvez inventem justificativas ou tentem jogar a culpa em outros. Talvez procurem minimizar ou trivializar a questão. Talvez apresentem um pedido de desculpas fingido enquanto tramam, em segredo, vingar-se. Ou talvez neguem tudo cabalmente. Quando essa recusa ocorre, Jesus nos instrui a tentar novamente, mas levar conosco uma testemunha:

> Mas, se ele não o ouvir, leve consigo um ou dois outros e fale com ele novamente, para que tudo que você disser seja confirmado por duas ou três testemunhas.

Se isso não funcionar, as consequências se tornam mais sérias:

> Se ainda assim ele se recusar a ouvir, apresente o caso à igreja.

O objetivo desses passos é levar a arrependimento e restauração. Se, porém, apresentar o caso à igreja não funcionar, a pessoa deve ser separada do restante dos membros. Costuma-se considerar que essa é uma referência à excomunhão:

> Então, se ele não aceitar nem mesmo a decisão da igreja, trate-o como gentio ou como cobrador de impostos.

Uma coisa é dar início a esse processo quando alguém faz um comentário maldoso sobre outra pessoa ou assume crédito indevido por algo. Mas, quando se exige que uma mulher ou criança que sofreu abuso sexual se encontre a sós com o agressor, torna-se moralmente indesculpável e psicologicamente violento insistir que Mateus 18 seja seguido de forma legalista. Essa abordagem é uma forma cínica de esquivar-se da responsabilidade e quase sempre tem por objetivo proteger o líder ou a igreja. E, no entanto, é o que acontece com grande frequência.

Na Willow Creek, os líderes que tentaram proteger a reputação da instituição em vez de demonstrar preocupação pelas vítimas alardearam a importância de "seguir Mateus 18".[16] "Ficamos profundamente entristecidos com a forma que tudo apareceu na mídia em tempos recentes", disse o presidente do conselho da Willow Creek em 10 de abril de 2018. "E estamos determinados a prosseguir de forma bíblica."[17] A inferência evidente era que, ao falar em público do que havia ocorrido, a mulher e seus apoiadores tinham adotado uma abordagem *não* bíblica.

(Na época não foi comentado, mas, de acordo com Vonda Dyer, ela e outras *haviam* seguido o modelo de Mateus 18 e *haviam* conversado pessoalmente com Bill Hybels. No caso de Vonda, ela afirmou que havia confrontado Hybels na manhã depois que ele a beijou em seu quarto de hotel na Suécia em 1998 e tinha lhe dito que, se ele voltasse a assediá-la, ela denunciaria seu comportamento. Em 2000, quando observou o que ela descreveu como uma "energia sexual" em Hybels quando ele estava perto de cinco mulheres específicas da igreja, entre elas Nancy Beach e Nancy Ortberg, Dyer disse que foi ao escritório dele e falou: "Pode parar com isso". Hybels, sem negar seu comportamento paquerador, simplesmente respondeu: "Entendido".)[18]

Outro que recorreu a Mateus 18 foi Wes Feltner, acusado de ter relacionamentos secretos (um deles de natureza sexual) com duas estudantes adolescentes em 2002 enquanto era pastor da

Primeira Igreja Batista do Sul em Evansville, Indiana. Depois de anos de silêncio reprimido (falaremos mais a esse respeito adiante), as duas mulheres apresentaram seus relatos publicamente. Em resposta, Feltner não contestou as alegações, mas, sim, a *maneira* que tinham vindo a lume:

> A Bíblia instrui o povo de Deus a apresentar suas queixas primeiro à pessoa acusada e, se ela não der ouvidos, tentar novamente com uma testemunha; e se, ainda assim, a pessoa não ouvir, levar o caso à igreja (Mt 18.15-17). O grupo que fez circular essas alegações não as apresentou a mim, mas as levou diretamente à igreja e, descontente com a reação da igreja, as apresentou ao público mais amplo. [...]
>
> Depois de passarem dezessete anos sem falar comigo, organizaram-se para destruir minha reputação e minha carreira.[19]

Quando as alegações das mulheres se tornaram públicas, Feltner foi recusado como candidato para um cargo pastoral em Tennessee e, em seguida, pediu demissão do cargo de pastor titular de uma igreja em Minnesota onde havia trabalhado durante seis anos.[20]

Duas ou três testemunhas

Outro texto bíblico que costuma ser aplicado de forma indevida em casos de abuso sexual é 1Timóteo 5.19: "Não acredite em acusações contra um presbítero sem que seja confirmada por duas ou três testemunhas". Nesse caso, como em Mateus 18, um padrão bíblico arrazoado em outras circunstâncias se torna psicológica e moralmente indesculpável quando aplicado de forma legalista a casos de abuso sexual. Pense bem: assédio e abuso sexual não costumam ocorrer na presença de testemunhas. Considere dois casos conhecidos como exemplo:

Mark Aderholt não atacou Anne Marie Miller no meio de uma reunião do grupo de jovens. E Andy Savage só teve um "incidente sexual" com Jules Woodson, uma garota de 17 anos de seu grupo de jovens, ao ver-se sozinho com ela no carro em uma estrada deserta longe da cidade, quando, supostamente, estava lhe dando uma carona para casa.[21]

Antes que alguém use 1Timóteo 5.19 fora de contexto para estipular uma abordagem bíblica a alegações de assédio, abuso ou estupro, é necessário considerar as circunstâncias com sabedoria. Supondo que a maioria dos homens assedie mulheres em segredo, uma suposição mais que justa, teríamos de dizer que esse texto *quase nunca* funciona em casos de alegações sexuais contra líderes de igrejas. Aliás, o uso de Mateus 18 e de 1Timóteo 5 nesses casos é profundamente *contrário* à Bíblia e prejudicial para as vítimas de assédio e abuso sexual.

O que é especialmente trágico e irônico nos relatos a respeito da Igreja Católica Romana, da Willow Creek, da Sovereign Grace Church, da Harvest Bible Chapel e inúmeros outros exemplos que poderíamos citar é que *várias* pessoas se pronunciaram (em outras palavras, *mais* que duas ou três testemunhas) com semelhanças suficientes entre seus relatos e, ainda assim, os líderes *não acreditaram nelas*. Antes, causaram novas feridas e traumas ao reagir com lei bíblica em vez de graça, misericórdia e discernimento.

Um assunto interno

Outra passagem por vezes usada como argumento para não fazer alegações em público é 1Coríntios 6.1-8, que diz, entre outras coisas: "Quando algum de vocês tem um desentendimento com outro irmão, como se atreve a recorrer a um tribunal e pedir que injustos decidam a questão em vez de levá-la ao povo santo? [...] Ninguém entre vocês tem sabedoria suficiente para resolver essas questões? Em vez disso, um irmão processa outro irmão diante dos descrentes!" (1Co 6.1,5-6). Esse é um texto importante em que o apóstolo Paulo define um princípio piedoso para a resolução de conflitos dentro da igreja. É evidente, porém, que abuso e assédio sexuais não são meramente "um desentendimento com outro irmão". E, por certo, se o ato é criminoso, deve ser levado à polícia e resolvido por meios legais. Essa é uma lição que a igreja de modo geral tem demorado a aprender.

A aplicação desses versículos a situações de abuso requer simples sabedoria: Quem sofreu abuso não precisa enfrentar seu agressor, certamente não sem a presença de outros. E nenhuma igreja deve exigir duas ou três testemunhas para abuso que acontece em segredo. Essa exigência é impensável e absolutamente contrária à Bíblia. Ademais, as Escrituras nunca devem ser usadas para desviar a atenção *daquilo que aconteceu* e focalizar, em vez disso, *como* as alegações foram apresentadas.

Nosso objetivo deve sempre ser cuidar das pessoas envolvidas e, ao mesmo tempo, buscar a *verdade* com sabedoria, ainda que a verdade seja desagradável. Com muita frequência, porém, as igrejas tomam decisões que, primeiramente e acima de tudo, protegem a instituição e seus líderes. Que implicação haverá para dízimos e ofertas, para a participação nos cultos, para nossa reputação, se essa história vier a conhecimento público? A forma que uma igreja reage a críticas ou trata de informações que possam prejudicar a reputação de um líder ou da instituição revela a cultura dessa igreja. Devemos ser norteados por verdade, compaixão e sabedoria. Mas, quando uma cultura é tóxica, as prioridades mudam, e dizer a verdade é colocado em segundo plano.

Pode ser que demore, mas, em algum momento, a verdade vem à tona. Quando os membros da igreja descobrem que todas as negações, as distorções e as histórias alternativas eram mentira, a cultura da igreja é desmascarada, e fica visível que é tóxica; fica claro que pastor, presbíteros, diáconos e outros líderes foram cúmplices, ou mesmo, em algumas ocasiões, enganaram propositadamente.

A palavra que vinha aos lábios de Jesus com mais frequência para esses casos era *hipocrisia*. Quando um pastor mente, o quociente de verdade da igreja despenca, o que leva a cinismo, desconfiança e traição. Quando as pessoas sentadas na igreja no domingo olham para o pastor e pensam: "O que ele está escondendo?", "Qual é a história toda?", ou "O que esse sujeito faz por trás de portas fechadas?", a credibilidade da igreja se desintegra. Como um estudioso do Vaticano expressou com deprimente clareza:

> A Igreja Católica é, sem dúvida, a organização que mais fala sobre a verdade. O termo está sempre em seus lábios. Ela exibe a "verdade" ostensivamente. E, ao mesmo tempo, é a organização mais dada a mentir que qualquer outra no mundo.[22]

Pastores, líderes e membros de uma igreja com uma cultura *tov* têm liberdade de contar histórias verídicas. Em uma cultura eclesiástica tóxica, pastores e líderes apresentam narrativas falsas, enquanto os membros os seguem em sua dissimulação ou vivem em feliz ignorância. No capítulo seguinte, daremos destaque para oito narrativas falsas usadas por igrejas quando são confrontadas com críticas ou alegações de conduta indevida. A distorção que aparece nessas narrativas é mais um sinal de advertência de que uma cultura tóxica está criando raízes.

4
Narrativas falsas

Deus criou os seres humanos de modo que encontrem significado para a vida por meio da narração de histórias. Compreendemos nossa vida — e a vida de nossa família, igreja, nação e mundo — ao articular os fatos (ou não fatos) na forma de uma cadeia narrativa. E vivemos nessas narrativas e por meio delas.

Cientistas que estudam o cérebro e a mente (entidades distintas para o especialista) dizem que, quando nosso cérebro não está concentrado em uma tarefa, quando está em repouso, a mente entra de forma natural em modo de narrativa, entretecendo uma história contínua a respeito de passado, presente e futuro. Em certo sentido, só entendemos quem somos ou como devemos viver quando compreendemos nosso lugar dentro da narrativa.

A mentira é a história que contamos quando algo dá errado; é a narrativa distorcida que apresentamos em nosso favor motivados por dissimulação, autopreservação ou interesse próprio. Quando algo dá errado em uma igreja, desde abusos de poder nos bastidores até envolvimentos sexuais, violência contra mulheres e pecados financeiros, o pastor e outros líderes muitas vezes procuram *controlar* a narrativa a fim de proteger a reputação do pastor, da igreja ou de ministérios da igreja. Podem até contratar uma empresa de relações públicas para ajudá-los a atravessar a crise. No entanto, comportamentos pecaminosos de líderes da igreja não devem ser o tema de palavras escritas com astúcia para *administrar* a narrativa. É possível que, em algumas situações, a igreja considere necessário contratar uma empresa de relações públicas. Igrejas que seguem esse caminho, porém, podem acabar parecendo empresas em razão de suas declarações cuidadosamente elaboradas e da tentativa de evitar dizer a verdade de forma direta. Relações públicas são, afinal de contas, artífices das palavras. Infelizmente, o desejo de administrar uma crise e alterar a opinião pública muitas vezes produz narrativas falsas.

Neste capítulo, estudaremos em maior profundidade oito narrativas falsas que igreja tóxicas costumam usar para proteger a si mesmas e seus líderes.[1] Sempre que uma narrativa falsa é usada dentro da igreja, vítimas que apresentaram alegações e feridos que não desistiram e que procuraram revelar a verdade sofrem *traição institucional* e são feridos novamente.[2]

Se você teme que uma cultura tóxica esteja criando raízes em sua igreja, procure as narrativas falsas a seguir quando surgirem críticas.

1. Desacredite os críticos

Essa falsa narrativa se baseia em um truque antiquíssimo: Se você não deseja admitir a veracidade de uma acusação, desacredite o acusador. Para isso, chame de *mentirosos* aqueles que dizem a verdade ou procure solapar sua credibilidade atacando seu caráter. Vimos esse expediente ser usado repetidamente em alegações de abuso sexual na Igreja Católica. Alguns bispos não apenas negaram a verdade, mas também atacaram o mensageiro que comunicou a queixa.

Essa estratégia é chamada, por vezes, *assassinato de caráter*. A expressão empregada no campo da lógica é "argumento *ad hominem*", que significa argumentar com base na *pessoa*, e não nos fatos. "Fulano é um canalha; portanto, tudo o que ele diz é errado". Ou, o que é igualmente comum: "Fulano é uma *boa* pessoa; portanto, tudo o que ele diz é certo". Embora o caráter de uma pessoa ou seu comportamento no passado tenha certo valor preditivo, é fundamental identificar *os fatos e a verdade* em uma situação antes de tirar conclusões.

Rachel Denhollander, que denunciou o abuso sexual cometido por Larry Nassar e se tornou defensora de vítimas de abuso sexual dentro da Sovereign Grace Ministries (SGM), descreveu uma reação extremamente conhecida ao abuso:

> Quando me apresentei como vítima de abuso, essa parte de meu passado foi empunhada como arma por alguns dos presbíteros para desacreditar ainda mais minha queixa e dizer, com efeito, que estava impondo minha perspectiva e que faltava clareza a minha avaliação. [...]
>
> Quando irrompeu o escândalo de Penn State, líderes evangélicos proeminentes se apressaram em pedir prestação de contas, em pedir mudanças. Mas, quando aconteceu em nossa comunidade, a reação imediata foi *difamar as vítimas* ou dizer coisas por vezes ostensiva e comprovadamente falsas sobre a organização e sobre o líder da organização. Houve uma recusa total em levar as evidências em consideração. Elas não importavam.[3]

O assassinato de caráter procura levar os membros da igreja a questionar a veracidade da história do acusador e a duvidar dele. Em pouco tempo, as pessoas começam a culpar quem acusou em vez de culpar quem cometeu abuso. Quando o acusador se torna o foco da história, aqueles que cometeram abuso e aqueles que apresentaram as narrativas distorcidas conquistam uma vitória pírrica, e a vítima paga o preço.

Outra forma de desacreditar os críticos é questionar suas motivações. Se não há como depreciar seu caráter, pode-se procurar acusá-los de *conluio*. Todos gostam de uma boa teoria da conspiração. Vimos essa abordagem na Willow Creek, quando Bill Hybels e outros líderes da igreja apresentaram uma narrativa que dava a entender que Nancy Beach, Vonda Dyer, os Ortbergs, os Mellados e Betty Schmidt estavam tentando sujar a reputação de Hybels antes de ele se aposentar. Nancy Beach, em seu blog pessoal, destaca "duas longas reuniões de família" realizadas na Willow Creek, "completas, com linhas do tempo e declarações inequívocas de que éramos mentirosos e estávamos de conluio, mencionando-nos por nome, de forma bastante específica".[4]

Muitos pastores acusados de comportamento abusivo convenceram seus conselhos de presbíteros ou diáconos, e até igrejas inteiras, a condenar os críticos antes mesmo de tentar realizar qualquer investigação digna de crédito. Declarações como "ela é descontrolada", ou "ele não tem maturidade cristã", ou "ela é emocionalmente instável" lançam sérias dúvidas sobre quem ousa se pronunciar. Quando o pastor obtém apoio dos presbíteros, dos diáconos ou da equipe de liderança, o acusador se torna vulnerável. Por isso, muitas vítimas não denunciam o abuso.

2. Demonize os críticos

Se desacreditar os críticos por meio de assassinato de caráter não funciona, algumas igrejas passam ao nível seguinte, de *demonizar* os críticos, isto é, retratar os acusadores como malfeitores cuja intenção é prejudicar a igreja e toda a sua obra em prol do reino de Cristo. Por certo, os críticos são *perversos*, não são dignos de confiança e, portanto, aquilo que dizem sobre o pastor e a igreja pode ser desconsiderado. Infelizmente, essa estratégia costuma funcionar, como vimos na Harvest Bible Chapel.

Wade Burleson, pastor corajoso, que não tem medo de dizer a verdade sobre abuso espiritual e sexual na igreja, especialmente em círculos da Igreja Batista do Sul, dedicou uma postagem em seu blog, em 2014, à "disciplina" pública de três presbíteros que pediram demissão do conselho na Harvest "depois de se pronunciarem contra uma 'cultura de medo e intimidação' e contra a falta de transparência da igreja, o que incluía sua preocupação em relação a quase *sessenta milhões de dólares* de dívidas de construção".[5] O que Burleson cita aqui ilustra nitidamente o que significa demonizar os acusadores:

> Os presbíteros e o pastor James MacDonald foram bastante expressivos e intencionais ao descrever [três ex-presbíteros] para os membros da Harvest Bible Chapel. Usaram frases como:
> "Aquilo que esses homens estão dizendo é cabalmente satânico e precisa ser tratado de forma assertiva".
> "Advertimos os membros da Harvest que se distanciem desses falsos mensageiros".
> "Por favor, evitem a todo custo esses ex-presbíteros da Harvest a fim de guardar sua alma de grande mal".[6]

Quando uma igreja demoniza seus críticos e exorta outros a evitá-los, seus líderes afirmam que estão do lado dos anjos e de Deus.

72 • UMA IGREJA CHAMADA *TOV*

3. Distorça a história

Distorcer a história é uma estratégia usada com o propósito de roubar a narrativa do acusador e criar uma versão alternativa, uma narrativa intencionalmente falsa que apoie o pastor e a igreja, ao mesmo tempo que cria dúvidas a respeito das alegações.

Keri Ladouceur é uma moça talentosa que começou a trabalhar na Willow Creek em 2007 no ministério com jovens, em que teve grande sucesso; depois, atuou na liderança estratégica de vários ministérios e, por fim, na liderança de pastores comunitários. Os relatos de Keri de algumas de suas interações com Bill Hybels ao longo dos anos difeririam radicalmente da forma que Hybels e a liderança da igreja as retrataram posteriormente nas reuniões de família da Willow Creek depois que a reportagem do *Chicago Tribune* foi publicada. Eis o que Keri contou para mim (Laura) a respeito de várias situações que, segundo ela, foram distorcidas para fazer Hybels parecer a vítima inocente ou que foram completamente acobertadas.

Keri participou de um congresso de líderes na Califórnia com Bill Hybels e vários outros membros da igreja. Uma noite, foi ao saguão do hotel onde estava reunido um grupo de cerca de dez amigos e colegas, e um deles disse que uma das coisas que ele queria fazer antes de morrer era beber uma taça de vinho com Bill Hybels. Keri conhecia Bill pessoalmente em razão de seu trabalho na igreja e concordou em lhe enviar um e-mail, convidando-o para se encontrar com todo o grupo no saguão. Hybels recusou, mas convidou Keri para ir sozinha até o quarto dele. Ela rejeitou a proposta de imediato e voltou à conversa com seus amigos no saguão.

Keri era grata a Hybels por ter investido nela, contribuído para seu crescimento como líder e como desenvolvedora de visão e estratégia, mas alguns aspectos da forma que Hybels se relacionava com ela lhe causavam mal-estar. Ele costumava comentar sobre sua aparência e suas roupas e dizer que ela "iluminava o ambiente". Elogios desse tipo vindos não apenas de um homem casado, mas de um pastor e mentor, faziam Keri se sentir confusa. No entanto, ela reprimiu os alarmes em sua mente e decidiu não atribuir intenções indecentes ao pastor.

Certo dia, porém, durante um ensaio para a celebração de Páscoa seguido de uma reunião de oração no auditório da Willow Creek, Hybels, cheirando a bebida alcoólica, pressionou o próprio corpo inapropriadamente junto ao dela e perguntou se ela achava que a cantora no palco estava vestida de forma provocante. Assustada, Keri se afastou e, depois, relatou a seu marido e a um mentor o que Hybels havia feito.

Em outra ocasião, depois de um congresso na Flórida, Keri tinha uma longa lista de assuntos de trabalho para tratar com Hybels. Ele a convidou para conversar com ele sobre a lista no carro dele, enquanto iam para o aeroporto. Quando Keri lhe enviou um e-mail dizendo que uma viagem de carro de dez minutos não seria tempo suficiente para tratar de toda a lista, Hybels respondeu que, se Keri só queria conversar sobre trabalho, não precisava pegar carona com ele. Algo na troca de mensagens pareceu estranho para Keri. Ela conversou sobre o assunto com seu marido e disse *não* para Hybels, algo que os funcionários da Willow Creek eram treinados a não fazer.

Posteriormente, em uma reunião da equipe em 2018 em South Haven, Michigan, Hybels voltou a comentar sobre a aparência de Keri e observou que seu vestido destacava as formas de seu corpo. De acordo com Keri, esse episódio a levou a pedir demissão da Willow Creek. Embora ela adorasse seu trabalho, não estava mais disposta a se reportar diretamente a Bill Hybels.[7]

74 • UMA IGREJA CHAMADA *TOV*

Depois que Keri pediu demissão, ela e sua família se mudaram para outro estado. Keri começou a trabalhar em um novo emprego e prestou uma queixa formal no departamento de recursos humanos da Willow Creek. Também entrou com um processo contra a Willow Creek na Comissão de Oportunidades Iguais de Trabalho, por "demissão construtiva", uma expressão estranha que se refere a situações em que um empregador "obriga o funcionário a pedir demissão ao tornar o ambiente de trabalho intolerável para qualquer pessoa sensata".[8]

Agora vem a distorção: Keri me contou que, quando a Willow Creek enviou um de seus presbíteros e um advogado para se encontrar com ela e tentar convencê-la a retirar o processo contra a igreja, o advogado reconheceu que Bill Hybels havia convidado Keri a ir ao quarto dele no hotel na Califórnia, mas asseverou que a intenção de Bill era simplesmente estar disponível para pastorear e mentorear Keri. Ele disse que, se ela insistisse em sua "interpretação" desse acontecimento, ele poderia fazer com que parecesse que ela havia corrido atrás de Bill. E foi o que aconteceu. Em uma das reuniões com os membros da Willow Creek depois que a reportagem do *Chicago Tribune* trouxe a lume as alegações contra Bill Hybels, Keri disse que um presbítero leu uma versão alterada da troca de e-mails entre ela e Bill para mostrar aos membros da igreja que Keri havia corrido atrás de Bill no congresso na Califórnia. Não usaram o nome de Keri, mas, ainda assim, procuraram desacreditá-la.[9]

Quando o relato de uma mulher é invertido e usado para dizer a outros que ela inventou as acusações porque cobiçava o cargo de alguém e a igreja não atendeu, essa é uma distorção.[10] Ou quando um pastor diz aos membros da igreja que a assistente pessoal dele "queria um desafio maior que seu presente cargo" e mudou de emprego "de forma amigável", embora muitos dos mais próximos saibam que não é verdade, essa é uma distorção.[11]

Betty Schmidt, presbítera de longa data na Willow Creek, diz que a igreja também distorceu a história a seu respeito. Betty escreveu em seu blog pessoal:

> Foi extremamente perturbador ouvir distorções, acréscimos e extrapolações daquilo que eu disse na reunião com os presbíteros da Willow Creek. Ao falar a verdade a respeito de minhas asserções, espero esclarecer o ocorrido. Os atuais presbíteros da igreja alteraram e deturparam minhas palavras.[12]

É difícil imaginar que as distorções de sua história tenham sido acidentais. Parece mais provável que tenham sido narrativas falsas criadas com o propósito de proteger Bill Hybels e desacreditar Betty Schmidt.[13]

4. Questione a sanidade dos críticos

É difícil imaginar uma estratégia mais perniciosa que destruir o caráter de alguém, demonizar quem diz a verdade ou distorcer uma narrativa para criar dúvidas a respeito do acusador; contudo, a prática de questionar a sanidade acrescenta um elemento psicológico cruel à falsa narrativa.

Essa prática, conhecida como *gaslighting*, vem de uma peça teatral de 1938, *Gas Light*, em que o marido, a fim de encobrir crimes que havia cometido, procura convencer a esposa de que ela está enlouquecendo. Para isso, ele usa várias técnicas, como reduzir as luzes a gás em seu apartamento e negar que algo tenha mudado. Na prática, *gaslighting* é "uma forma de manipulação psicológica em que uma pessoa lança [...] sementes de dúvida sobre seu alvo e o leva a questionar sua memória, sua percepção ou seu juízo. [...] Ao negar, desnortear, contradizer e oferecer informações falsas, essa abordagem procura desestabilizar a vítima e deslegitimar suas crenças".[14]

A socióloga Paige Sweet destaca "as características *sociais* que conferem poder à prática de *gaslighting*".[15]

De modo específico, essa abordagem tem eficácia quando é arraigada em desigualdades sociais, especialmente de gênero e sexualidade, e quando é executada em relacionamentos próximos, carregados de poder. Quando os agressores mobilizam estereótipos fundamentados em gênero, desigualdades estruturais e vulnerabilidades institucionais contra vítimas com as quais eles têm relacionamentos próximos, o *gaslighting* se torna não apenas eficaz, mas também devastador.[16]

Quando a sanidade de um acusador é questionada pela igreja, por um pastor de confiança que conta com apoio da liderança, a desestabilização é ainda mais intensa, pois a narrativa predominante agora parece ser ligada à verdade de Deus, e foi divulgada para uma multidão que aceita essa narrativa da igreja. Não é de admirar que muitas vítimas escolham não relatar o abuso ou voltem atrás quando deparam com resistência.

Em um exemplo extremamente comum, uma mulher relata comportamento inapropriado de seu pastor em relação a ela. O pastor, seguro em seu cargo de íntegra autoridade, volta-se contra a mulher e diz que ela lhe enviou e-mails e o convidou para ir ao quarto de hotel dela, mas ele resistiu e pediu para falar com ela por telefone, em vez de se encontrar com ela pessoalmente. Cada uma dessas contra-acusações tem por objetivo confundir a mente da mulher e levá-la a duvidar de seu próprio relato (aquilo que ela sabe que aconteceu), e desestabilizá-la a ponto de ela questionar sua sanidade. Algumas vítimas recuam nesse ponto em razão do diferencial de poder e da quantidade de esforço necessária para superar a dor causada por essa abordagem.

Em artigo para a revista *Forbes*, a terapeuta Stephanie Sarkis descreve em mais detalhes a crueldade do *gaslighting*:

> Quando *gaslighters*/narcisistas são flagrados em vídeo, dizendo algo que juraram não ter dito, em vez de reconhecer a culpa, partem para o ataque. Dizem que você os ouviu incorretamente. Ou empregam a desculpa mais recente de que o áudio foi digitalmente alterado. Também podem reconhecer que disseram algo, mas que foi "tirado de contexto". Podem, ainda, escolher continuar mentindo sem o mínimo remorso. Uma coisa que nunca fazem é pedir perdão. Para eles, um pedido de perdão é sinal de fraqueza.[17]

Vejamos agora um exemplo. Jules Woodson tinha 17 anos quando seu pastor de jovens, Andy Savage, se aproveitou dela. Ela criou coragem e contou a Larry Cotton, um dos pastores assistentes da igreja, o que Savage havia feito. Nas palavras da própria Jules, eis o que aconteceu em seguida:

> Mal terminei de contar minha história, Larry pediu esclarecimentos. Perguntou algo como: "Quer dizer, então, que você participou?". Lembro-me de sentir o coração afundar até o chão. Como assim? E, mais importante, o que ele estava insinuando? Fui encoberta por uma onda de vergonha, maior do que jamais havia sentido. Tinha acabado de contar para ele o que Andy, meu pastor, tinha pedido para eu fazer. [...] Toda coragem que eu tinha reunido para ir até lá e contar a Larry a verdade a respeito do que havia acontecido comigo se evaporou em um instante. Além de eu sentir, de repente, culpa imensa por fazer o que Andy tinha

pedido, comecei a imaginar que, de algum modo, era minha culpa, pois eu não o havia impedido.[18]

Naquilo que, a nosso ver, é um exemplo clássico de *gaslighting*, Cotton colocou Jules na defensiva e a desestabilizou ao inverter a situação e fazer com que ela se sentisse responsável pelo que havia acontecido. Foram necessárias quase duas décadas para que Jules criasse coragem de confrontar seu agressor e falasse em público sobre o estupro.

Sobreviventes de abuso que acontece na igreja destacam fatores que contribuem para o problema, como teologia errônea, liderança autoritária e líderes da igreja que priorizam o perdão para o agressor acima de justiça e cuidado para a vítima. Em muitos casos, pastores não se dispõem a receber acompanhamento de terapeutas profissionais, pois terapeutas que "atuam fora da Bíblia" podem dar orientações não espirituais. Nada disso é desculpa para permitir abuso e serve apenas para perpetuar os efeitos prejudiciais da prática de *gaslighting*.

5. Transforme o agressor em vítima

Em vez de assumir responsabilidade e pedir perdão pelo pecado, pastores e líderes de igrejas talvez criem falsas narrativas de vitimização em que tudo é invertido e aqueles que cometem violência sexual se tornam as vítimas. Presbíteros, líderes e outras vozes de autoridade na igreja talvez digam que os acusadores "não estão se comportando de forma bíblica" ou que se recusam a restaurar o relacionamento. O pastor talvez lamente seu aborrecimento ou sua perplexidade diante de ataques a seu caráter e ao ministério que ele construiu ao longo da vida e diga o quanto está magoado porque a acusadora fez alegações em público. Ou a sobrevivente, ao relatar sua história para outros, talvez seja acusada de espalhar fofocas ou causar divisão. Essas narrativas manipuladoras são extremamente eficazes, pois produzem solidariedade ao agressor. De repente, a raiva muda de direção e se volta contra a parte queixosa, que está tratando mal o pastor ou a igreja.

Vimos essa narrativa falsa diversas vezes na Willow Creek. Eis um exemplo, de uma declaração de Bill Hybels em uma reunião de família em março de 2018:

> Meu principal sentimento neste instante é de tristeza. Sempre me orgulhei de ser capaz de construir e manter relacionamentos por longo tempo. [...] O fato de, no momento, não ter um bom relacionamento com algumas dessas pessoas a respeito das quais vocês têm lido me deixa muito triste. Trabalhei com algumas delas durante décadas e as considero parte de minha família, meus parentes. E, na situação que descreveremos para vocês, acabamos em lados diferentes, enxergando a verdade de forma diferente.[19]

O porta-voz escolhido pelo conselho de presbíteros apoiou Hybels em sua narrativa de vitimização:

> Estamos profundamente entristecidos porque relacionamentos com pessoas que respeitamos e amamos foram rompidos. Sentimos por Bill e sua família. Depois de 42 anos em que ele pastoreou fielmente eu e vocês, nossa igreja, e depois de todos os sacrifícios que sua família fez, essa situação é indescritivelmente dolorosa para eles.[20]

Hybels, com apoio de seu conselho de presbíteros, transformou-se, com efeito, em vítima de uma ruptura relacional, como se ele fosse a pessoa prejudicada, e não as mulheres. Hybels declarou: "Passei a vida inteira procurando *dar poder* *às mulheres. É difícil ouvir algumas mulheres dizerem que minhas ações ou palavras, vinte anos atrás, as ofenderam".[21]

A narrativa de autovitimização é exemplo clássico de inversão do enredo. E, ao que parece, funcionou. Naquela noite, os membros da igreja aplaudiram Hybels em pé. Muitos se entristeceram com o sofrimento dele. "O que está acontecendo com Bill e a família dele é horrível", foram palavras ouvidas com frequência. No entanto, Nancy Beach, uma das vítimas de Hybels, enxergou o que havia por trás da narrativa falsa e respondeu em seu blog pessoal com sua clara e habitual percepção: "Bill Hybels não é a vítima nessa história!".[22]

James MacDonald e a Harvest Bible Chapel também procuraram se posicionar como vítimas quando foram expressas preocupações em relação a MacDonald e à liderança da igreja. Em resposta a uma reportagem de dezembro de 2018 da revista *World* que alegava sérios problemas de administração de recursos, mentiras e intimidação na igreja, a Harvest publicou uma resposta em seu site que começava com a seguinte declaração:

> É triste quando publicações cristãs outrora idôneas atribuem peso maior às opiniões de alguns ex-membros descontentes, já repetidas exaustivamente, que à perspectiva criteriosamente expressa de um grande número de presbíteros da igreja.
>
> A Harvest Bible Chapel reconheceu seus erros, continuou de pé e se tornou uma igreja mais feliz e saudável, cujos membros têm um compromisso (tanto financeiro quanto em sua caminhada com Cristo e seu trabalho para ele e em sua promessa de falar de Cristo a outros) sem precedentes. O ataque esperado que acompanha o avanço do reino de Deus veio, infelizmente, não daqueles que estão no mundo, mas de outros cristãos professos.
>
> Escolhemos agir de modo mais nobre e não rebater os ataques feitos em público por pessoas com quem outrora servimos de

forma próxima e que continuam a se apegar a suas mágoas mesmo depois de tantos anos. Os presbíteros têm conhecimento de muitas tentativas pessoais, marcadas por graça, de buscar reconciliação oferecida na esperança de que esses cristãos insatisfeitos encontrassem paz.[23]

Wade Mullen, que pesquisou e escreveu extensamente sobre abuso dentro da igreja e sobre como instituições evangélicas reagem a acontecimentos que ameaçam sua imagem, analisou essa declaração da Harvest Bible Chapel e identificou algumas táticas comuns usadas por agressores quando procuram se transformar em vítimas. Mullen escreve: "Embora a reportagem [da revista *World*] fosse a respeito de injustiças específicas cometidas contra outros, [a Harvest] chamou a atenção para seu próprio sofrimento e para o quanto a igreja estava 'triste' de se ver exposta. Essa tática [...] tem por objetivo levar as pessoas a dirigir à igreja a compaixão e o apoio que normalmente dariam aos injustiçados".[24]

Quando a igreja faz referência às "opiniões de alguns ex-membros descontentes", procura mostrar como a situação toda é *injusta*, ao "dar a entender que faltava credibilidade [aos acusadores], que foram motivados por más intenções e que eram os únicos a considerar que havia problemas".[25]

Junto com a tentativa de sujar a reputação dos acusadores, a igreja procura lustrar sua própria imagem ao usar expressões como "perspectiva criteriosamente expressada", "uma igreja mais feliz e saudável", "o avanço do reino de Deus", "escolhemos agir de modo mais nobre" e "tentativas pessoais, marcadas por graça, de buscar reconciliação".

Outra tentativa de obter solidariedade pode ser vista na forma que a igreja rearticula o mal feito a outros como "erros"

82 • UMA IGREJA CHAMADA *TOV*

que a igreja "reconheceu". Wade Mullen observa que "esses acontecimentos são descritos como algo que a liderança precisa 'suportar', evidenciando a perspectiva de que ela se vê como a maior prejudicada".[26]

Igrejas também recorrem a seu compromisso com os padrões bíblicos como outra forma de assumir falsamente o papel de vítimas. A liderança da igreja afirma que os acusadores estão se comportando de maneira contrária ao ensino bíblico. Coloca-se em posição superior, pois está seguindo a Bíblia. Os acusadores são desacreditados, e a igreja se torna a vítima.

A Sovereign Grace Ministries também usou a Bíblia para dizer às vítimas de abuso que não deviam entrar na justiça contra outros cristãos.[27] Considere, porém, o seguinte: Quem sairia ganhando se os cristãos não recorressem às autoridades legais? A Sovereign Grace Ministries e seus pastores e líderes. Quem sairia perdendo se o caso não fosse levado às autoridades legais? Aqueles que haviam sofrido abuso dos líderes. Aqueles que se pronunciaram em público e levaram seu caso para a justiça foram considerados agressores do povo fiel da igreja que, em razão de convicções bíblicas indevidamente aplicadas, havia mantido as acusações em segredo.

Líderes podem usar como argumento, ainda, a necessidade de proteger a reputação da igreja. Também nesse caso, a igreja é a vítima, pois os acusadores estão prejudicando sua reputação e seu bom trabalho. Vimos esse tipo de narrativa de vitimização por parte dos líderes da Sovereign Grace Ministries quando se defenderam de alegações com a asserção de que estavam seguindo a Bíblia:

> A decisão de Rachael [Denhollander] e de outros de declarar publicamente a SGM e seus pastores culpados de abuso sexual

e conspiração, com base em alegações falsas e sem nenhum conhecimento direto do histórico da SGM ou dos fatos, prejudicou seriamente a reputação e o ministério do evangelho de pastores e de igrejas inocentes. [...]

Por mais intenso que seja o fervor por uma causa evidentemente justa, nenhum ser humano caído tem autoridade moral absoluta, e não traz benefício nem às vítimas de abuso sexual nem ao nome de Cristo crentes condenarem uns aos outros publicamente sem estar de posse dos fatos.[28]

Por fim, gostamos especialmente da postagem de Mary DeMuth no Twitter sobre essa falsa narrativa de vitimização:

Quero deixar algo bem claro: Revelar publicamente o abusador NÃO É FOFOCA. É justiça. É proteger mais pessoas de serem agredidas. A corajosa revelação é a essência do Deus cujo coração SEMPRE se inclina para os vulneráveis. Deixar de denunciar é pecado. Pessoal, precisamos inverter a narrativa.[29]

6. Silencie a verdade

Por vezes, as igrejas criam uma "narrativa silenciadora" por meio de termos de confidencialidade e alianças de filiação. Para quem não sabe dos fatos, dá a impressão de que nada aconteceu. A igreja preserva sua reputação pública, e a falsa narrativa permanece intacta. Narrativas que calam as pessoas impedem a verdade de ser revelada, criam confusão para aqueles que percebem que há algo de errado mas não conseguem identificar a causa, e semeiam discórdia entre aqueles que tentam se pronunciar e outros que escolhem acreditar na falsa narrativa. Verdade silenciada é uma mentira tácita.

Alianças de filiação, cada vez mais comuns em algumas igrejas americanas, são uma forma de líderes evitarem que

84 • UMA IGREJA CHAMADA *TOV*

informações negativas sejam divulgadas. A Village Church, uma igreja da Convenção Batista do Sul no Texas pastoreada por Matt Chandler, tem em sua aliança de filiação uma cláusula formal de resolução de conflitos.

Membros não devem entrar com processos legais contra a Igreja, e devem sujeitar-se à Alternativa Cristã de Resolução de Conflitos. Em conformidade com 1Coríntios 6.1-8, todos os litígios formais (com exceção daqueles que estão sujeitos à jurisdição dos Presbíteros da Igreja no Artigo XIII destes Estatutos) que surjam entre qualquer Membro e a Igreja propriamente dita, ou entre qualquer Membro e qualquer Presbítero, funcionário, voluntário, agente ou outro Membro desta Igreja, devem ser resolvidos por mediação e, depois, por *arbitragem obrigatória*, sujeitos aos procedimentos e à supervisão das Regras de Procedimento para Conciliação Cristã, Instituto da Conciliação Cristã, ou mediações de outro grupo semelhante de mediação e arbitragem cristãs.[30]

Essa parece ser uma tentativa de adotar uma abordagem bíblica à resolução de conflitos, o que é ótimo. Paulo instruiu os coríntios a não recorrer a tribunais públicos para resolver seus conflitos. Por certo, ele considerava que as autoridades legais de Corinto tinham alguma jurisdição, mas não especificou quais questões deviam ser resolvidas pela igreja e quais competiam aos tribunais. A Village Church deseja operar dentro dos padrões da diretiva paulina. O que falta nos estatutos, porém, e o que se mostrou prejudicial para a Village Church, é uma definição de "litígios formais". E quanto a crimes? Não é esse, exatamente, o problema que tantas igrejas tiveram? Há uma linha nem sempre tênue entre *litígio* e *crime*, e é preciso ter sensatez e discernimento para entender a diferença. A verdade é que igrejas têm se saído mal nessa área.

Elizabeth Dias, do *New York Times*, fez uma reportagem sobre a família Bragg, que assinou a aliança de filiação da Village Church, por meio da qual os membros da família assumiram um compromisso legal com a aliança e com os estatutos, dos quais faz parte o Artigo 10.4. Ao assinar a aliança, prometeram "sujeitar-se à Bíblia e à autoridade e disciplina espiritual dos líderes da igreja".[31] Mas, então, ocorreu uma tragédia. Em 2017, "a sra. Bragg e seu marido, Matt, informaram à liderança da igreja que sua filha, com cerca de 11 anos, tinha sofrido abuso sexual no acampamento de férias para crianças da igreja".[32]

Não há nenhum indício de que, depois de tomar conhecimento do abuso, os líderes da igreja tenham informado os membros em mais detalhes ou tenham pedido perdão por essa grave violação de uma criança. A família Bragg teve a impressão de que a igreja preferiu preservar sua reputação em vez de revelar a verdade. Um dos líderes da igreja disse à sra. Bragg que era impossível um membro da equipe ter estuprado a filha dela no retiro, pois todos os líderes seguiam a aliança de filiação da igreja. E houve um tempo em que a sra. Bragg teria acreditado nisso.

> Durante anos ela confiou que os principais líderes da igreja tinham agido em prol da congregação e que, se ela discordasse, o problema estaria com ela. Havia um motivo espiritual para sua confiança: duvidar deles seria duvidar de Deus.
>
> Mas o grande sofrimento de sua filha lhe mostrou um lado diferente da igreja. A Village, como várias outras igrejas evangélicas, usava um acordo escrito de filiação, com cláusulas legais que protegiam a instituição. O acordo da Village proíbe os membros de entrar com processos contra a igreja e, em vez disso, exige mediação, seguida de arbitragem obrigatória, processos legais que, com frequência, ocorrem em segredo. [...]

Meses a fio, parentes dos Braggs os pressionaram para contratar um advogado, mas a família ficou preocupada. Amigos de confiança na igreja disseram que não seria bíblico contratar um advogado, e citaram passagens das Escrituras e a aliança de filiação.[33]

Por fim, os Braggs se desligaram da igreja depois de uma reunião de arbitragem com representantes da liderança que não levou a nenhuma resolução, e a família entrou com um processo contra a igreja em julho de 2019, depois de ter esgotado todas as outras opções.[34] A sra. Bragg observou: "Deparamos com [...] uma igreja que fez a escolha consciente de se proteger em vez de refletir o Jesus que ela afirma seguir".[35] Consultei um amigo advogado a respeito dessas alianças de filiação, e esta foi a resposta dele:

> Como teriam lidado com esse problema se a vítima fosse um adulto e, também, membro dessa aliança? O membro da aliança entraria com um processo, e a igreja recorreria à arbitragem em conformidade com a aliança de filiação. O tribunal imporia a aplicação do acordo de arbitragem, pois, pelo menos em [nome do local], acordos desse tipo são sacrossantos. Eles fornecem uma cobertura de confidencialidade para que a roupa suja não seja lavada em público; mas, o que é mais importante, os árbitros *não* precisam seguir a lei ao tomar decisões. A arbitragem só pode ser suspensa em circunstâncias limitadas. Quem leva vantagem? A igreja.[36]

Alianças de filiação não são o único instrumento usado pelas igrejas para calar pessoas. Outra forma de evitar que informações negativas sejam divulgadas é por meio de um termo de confidencialidade (TC). Não estamos falando de impedir alguém de passar informações proprietárias ou conhecimento especializado para outros. Termos de confidencialidade visam calar aqueles que sabem de coisas ruins que aconteceram nos bastidores e que concordam em permanecer de boca fechada em troca de um pacote de rescisão ou de algum outro benefício. Quando Julie Roys estava realizando a pesquisa para seu relatório sobre a Harvest Bible Chapel, testemunhou pessoalmente como termos de confidencialidade podem abafar a verdade:

> Ex-presbíteros da Harvest, membros da equipe e membros da igreja se recusaram a fazer qualquer declaração oficial e citaram acordos de sigilo ou não depreciação que, de acordo com eles, a Harvest os havia pressionado a assinar quando saíram da igreja. Ao longo das últimas semanas, a Harvest também enviou cartas para alguns de seus ex-funcionários com ameaças de "recurso legal" caso violassem seus "acordos com a igreja".[37]

Eu (Scot) conversei certa vez com um pastor que me disse que havia assinado um TC ao sair de outra igreja. Quando lhe fiz algumas perguntas, as únicas respostas que ele podia dar eram "Não vou negar que seja o caso", ou "Não vou discordar do que você disse". Ao fazer algumas perguntas bastante diretas, consegui reunir informações até mesmo de suas respostas indiretas (que o mantiveram dentro dos limites de seu TC), mas a questão central é que pessoas que assinam TCs muitas vezes não podem *fazer justiça* ao *dizer a verdade* a respeito do que sabem, viram ou ouviram. Igrejas que pressionam os pastores a assinar TCs em troca do pagamento de rescisão já estão afundadas em uma cultura tóxica.

Igrejas *tov* dizem a verdade. Igrejas *tov* não usam TCs para evitar que a verdade seja dita.

7. Suprima a verdade

Uma variação da narrativa silenciadora é a supressão da verdade, que pode assumir a forma de humilhação, intimidação, ameaça de consequências espirituais ou financeiras ou destruição de provas.

Por vezes, líderes da igreja reagem a alguém que apresenta uma acusação, ou mesmo levanta alguma suspeita, com ameaças de entrar na justiça e usar os recursos da igreja contra esse indivíduo que talvez não tenha condições financeiras de arcar com um processo legal. Talvez acusem o acusador de semear discórdia e divisão ou de "dar falso testemunho" contra seu irmão ou sua irmã. Ou talvez anunciem que fizeram uma investigação independente e não encontraram nenhuma conduta indevida e, portanto, impeçam qualquer outra averiguação. Encerra-se a possibilidade de mais objeções. Talvez recorram, também, à reputação do pastor ou da igreja para manipular a vítima e mantê-la em silêncio.

Depois que Wes Feltner se envolveu com duas estudantes em seu grupo de jovens, elas relataram que foram instruídas a permanecer caladas a fim de proteger a própria reputação. De acordo com Megan Frey, cujas alegações contra Feltner incluíam abuso sexual, quando ela relatou ao pastor titular o que havia acontecido, "não houve empatia. Estávamos todos no escritório [do pastor] contando nossa história. Ele nos interrompeu e disse que precisávamos proteger a igreja, pois divulgar nossa história prejudicaria nossa imagem e revelaria para a igreja quem éramos de fato".[38]

A supressão da verdade se encontra, de longa data, no centro dos escândalos de abuso da Igreja Católica Romana. Em agosto de 2018, duas semanas depois que um júri da Pensilvânia

NARRATIVAS FALSAS • 89

publicou um relatório alegando que "líderes da igreja protegeram mais de trezentos 'padres predadores' em seis dioceses católicas da Pensilvânia durante várias décadas",[39] o arcebispo Carlo Maria Viganò pediu a renúncia do Papa. Uma semana depois, em uma homilia no Vaticano, o Papa Francisco "não tratou especificamente do escândalo crescente",[40] mas, em suas observações, disse: "Com pessoas desprovidas de boa vontade, com pessoas que procuram apenas escândalo, que procuram apenas divisão, que procuram apenas destruição, mesmo dentro da família: silêncio, oração".[41] A "virtude do silêncio" do cristão parece ser mais uma falsa narrativa que suprime a verdade na Igreja Católica.

Outra forma de suprimir a verdade é intimidar as testemunhas. Keri Ladouceur comentou que, depois de prestar queixa contra Bill Hybels no departamento de recursos humanos da Willow Creek, ela foi informada de que teria de assinar o documento de queixa ali mesmo, na igreja. Além disso, de acordo com Keri, pediram que ela avisasse quando estivesse perto da igreja e quando chegasse. Ao parar no estacionamento e, com os nervos à flor da pele, sair do carro, foi confrontada quase de imediato por Bill Hybels. "E aí, menina?", ele disse. Keri sentiu que ser interceptada dessa forma não era bom sinal. Tentou se esquivar de Hybels, que procurou puxar conversa com ela três vezes. Felizmente, uma amiga de Keri também estava no estacionamento e a pegou pelo braço e caminhou com ela até a igreja. Keri chorava e tremia.[42]

Membros de alto escalão da liderança assinaram depoimentos em que negaram intimidação intencional, e a Willow Creek afirmou que Keri deturpou a confrontação no estacionamento (embora, mais uma vez, sem mencionar seu nome). Do meio do palco durante uma reunião de família na Willow

Creek, foi feita a seguinte declaração aos presentes: "Há evidências objetivas, sim, evidências *objetivas*, e-mails, imagens de vídeo, que [...] *refutam* as alegações".[43] Mas essas imagens de vídeo nunca foram apresentadas para os membros.

A nosso ver, o exemplo mais dramático de supressão da verdade também veio de Bill Hybels e da Willow Creek. Uma breve investigação feita pelo conselho de presbíteros em 2018 revelou 1.150 e-mails entre Hybels e uma mulher anônima. Os presbíteros não avaliaram o conteúdo desses e-mails e, posteriormente, os membros da igreja foram informados de que os e-mails tinham sido deletados e não havia como recuperá-los. Como um dos pastores explicou, não era possível recuperar os e-mails "simplesmente em razão do tempo normal após o qual mensagens são deletadas em qualquer corporação ou organização". "A empresa forense constatou que esses e-mails não foram fisicamente deletados, mas apenas saíram naturalmente do sistema. [...] Ninguém entrou no sistema e os apagou".[44]

Na mesma reunião com os membros, Bill Hybels também explicou as mensagens apagadas:

> Como muitos de vocês sabem, pois tiveram interações extremamente confidenciais comigo, o trabalho do pastor pode ser bastante complicado. [...] Tenho contato com milhares de pastores [...] e líderes do mundo todo. [...] E muitas pessoas querem conversar comigo sobre questões *extremamente* pessoais. [...] Fui *hackeado* por um ex-funcionário e, de repente, percebi que tenho todos esses e-mails, e milhares de vidas poderiam explodir caso essas mensagens se tornassem públicas. [...] Queria um nível de segurança que permitisse às pessoas me contar segredos sem a preocupação com questões de confidencialidade.[45]

NARRATIVAS FALSAS • 91

Essas explicações sobre confidencialidade e segurança pareceram inteiramente plausíveis. Depois disso, muitos colocaram de lado quaisquer preocupações que tivessem a respeito da troca de um número excessivo de e-mails entre Hybels e a mulher anônima. Foi somente depois de uma postagem reveladora de Nancy Ortberg em seu blog que a verdade começou a vir à tona.[46] Nancy descreveu uma reunião entre membros do conselho da Associação Willow Creek (AWC) e presbíteros da igreja. (Só para esclarecer, "as duas mulheres" se refere a duas mulheres anônimas que reconheceram que haviam tido relacionamentos inapropriados com Hybels.)

> Foram feitas perguntas a Bill a respeito dessas "providências especiais tomadas [a pedido dele] pelo departamento de TI", que apagam os e-mails de Hybels permanentemente com frequência e regularidade. Durante essa reunião, um dos presbíteros disse ao conselho da AWC que a igreja tinha uma "política de não reter nenhum documento". Nem o conselho de presbíteros nem o conselho AWC tinham conhecimento prévio desse arranjo, mas as duas mulheres relataram para nós separadamente que, anos antes, Bill havia lhe falado dessas "providências especiais".[47]

Como referencial, a maioria das grandes organizações tem diretrizes para definir por quanto tempo manterá certos documentos (o que inclui, mas não se limita, a e-mails e outras formas de correspondência) antes de serem deletados ou destruídos. Podem ser três, cinco ou sete anos, por exemplo, dependendo do tipo de documento. Uma vez que a Willow Creek não tinha diretrizes desse tipo, Bill Hybels e outros destruíam ou deletavam documentos quando bem entendiam.

A maior preocupação, além da falta de controles, é a natureza sigilosa das "providências especiais" que Hybels combinou com o departamento de TI. Podemos, no mínimo, perguntar se confidencialidade era o único motivo para essas providências. Será que seus e-mails eram deletados para que ninguém nunca soubesse do conteúdo inapropriado ou do número excessivo de comunicações? Se era uma questão de confidencialidade, como Hybels explicou na reunião de família, por que a existência dessas providências não foi divulgada abertamente? Onde há falta de transparência, sempre há suspeitas.

Vimos outros exemplos de supressão de informação na rede de igrejas da Sovereign Grace Ministries. De acordo com uma reportagem da revista *Relevant*, "ex-membros da SGM afirmam que foram dissuadidos de relatar às autoridades os casos de abuso cometido por líderes da igreja e viram líderes desconsiderar alegações e se recusar a advertir igrejas a respeito de abusadores conhecidos".[48]

Quando a verdade é suprimida e o silêncio é mantido, agressores podem continuar a abusar de outros e feri-los. A vítima e aqueles que a silenciam são os únicos que sabem o que aconteceu. Quando silêncio e supressão se tornam falsas narrativas, mostram que as vítimas não importam e que não vale a pena revelar os atos dos abusadores.

8. Apresente um falso pedido de desculpas

A última narrativa falsa é o que chamamos *falso pedido de desculpas*, que, na verdade, não é um pedido de desculpas coisa nenhuma. Falsos pedidos de desculpa não são apresentados como resultado de confissão e arrependimento, como um verdadeiro pedido de perdão. Antes, condenam a vítima, apaziguam os ouvintes, vêm acompanhados de evasivas e procuram justificar o comportamento inapropriado. Uma narrativa falsa gera outra. Resumiremos aqui, em poucas palavras, o trabalho de Wade Mullen. Recomendamos a leitura de sua postagem intitulada "O que observei quando instituições tentam pedir desculpas e como podem melhorar".[49]

O primeiro tipo de falso pedido de desculpa que Mullen identifica é aquele que condena a outra pessoa. "O exemplo clássico é um pedido de desculpas 'àqueles que se sentiram ofendidos'."[50] Não há nenhum reconhecimento de erro, mas apenas uma insinuação manipuladora de que a outra pessoa é sensível demais ou interpretou a situação equivocadamente.

O outro "pedido de desculpas" é apaziguador. "Não é uma tentativa de fazer todo o necessário para corrigir o erro, mas uma tentativa de oferecer apenas o necessário para calar protestos."[51]

O terceiro "pedido de desculpas" vem acompanhado de justificativas. Mullen o chama uma "desculpativa". Pode assumir várias formas, mas sempre procura transferir a culpa para outros ou mudar a percepção a respeito de quem agiu de forma indevida. Igrejas talvez digam que "nunca tiveram a intenção" de difamar alguém que disse a verdade, ou que "estava fora de seu controle". A justificativa esvazia o pedido de desculpas e o faz perder todo o sentido.

Igrejas talvez procurem justificar o comportamento e, com isso, acabem por oferecer outro pedido falso de desculpas. Talvez procurem dar a entender que os pecados do líder não são "tão terríveis assim", ou que a mulher deveria saber que não era apropriado ficar sozinha com o pastor, ou que o marido dela deveria ter intervindo.

Mullen também identifica "pedidos de desculpas" expressos como forma de autopromoção. "Muitas pedidos públicos de desculpas [...] se tornam uma propaganda que mostra por que [a organização] ainda é digna de receber apoio e de ter a participação de [seus] seguidores."[52] Mullen acrescenta que organizações nunca devem anunciar que "tomaram partido das vítimas". De acordo com ele, essa decisão cabe exclusivamente às vítimas.

Por fim, Mullen descreve falsos pedidos de desculpas que procuram despertar solidariedade pela instituição. É o tipo de declaração de que "nós também estamos sofrendo" que costuma "transferir a dor daquele que foi ferido para aquele que feriu".[53]

Em resumo, um pedido de desculpas barato não é um pedido de desculpas coisa nenhuma. É uma falsa narrativa que apenas afirma estar fazendo o que é certo ao mesmo tempo que procura explicar, apaziguar ou justificar a transgressão e inspirar compaixão pelo transgressor. Verdadeiros pedidos de desculpas implicam rendição, confissão, responsabilização, reconhecimento e empatia. "E, desse quebrantamento", diz Mullen, "talvez brotem as palavras 'por favor, nos perdoem'."[54]

•••

Basta desse assunto. Cremos que apresentamos exemplos e evidências suficientes da cultura tóxica que predomina em um número excessivo de igrejas. Voltemos nossa atenção agora para maneiras de seguir adiante. Nos próximos capítulos, traçaremos um mapa que mostra o caminho para uma cultura de bondade (*tov*) a fim de que possamos aprender a medir nossas igrejas como Deus o faz: ao avaliar o quanto são *tov*.

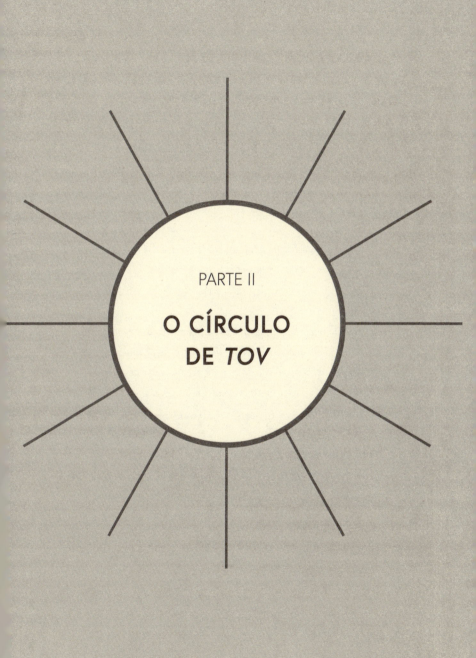

PARTE II

O CÍRCULO DE *TOV*

Grande é a bondade
que reservaste para os que te temem!
Tu a concedes aos que em ti se refugiam
e os abençoas à vista de todos.

Salmos 31.19

A verdade é como um leão. Não é preciso defendê-la.
Solte-a e ela defenderá a si mesma.

Agostinho de Hipona

Não importa quão completo e extenso seja o sistema
cultural em questão, ele só mudará por meio de um grupo
absolutamente pequeno de pessoas que inovam e criam um
novo bem cultural.

Andy Crouch, *Culture Making*

Vocês, porém, são povo escolhido, reino de sacerdotes, nação
santa, propriedade exclusiva de Deus. Assim, vocês podem
mostrar às pessoas como é admirável aquele que os chamou
das trevas para sua maravilhosa luz.

1Pedro 2.9

5
A formação de uma cultura de bondade

A cultura da igreja é importante. Ao viver em nossa cultura e a influenciar, ela começa a viver em nós e nos influenciar. Uma cultura boa nos molda em direção à bondade; uma cultura tóxica nos molda em direção ao mal. Sim, podemos resistir e mudar a cultura de uma igreja, mas, por vezes, resistir é como tentar desacelerar um furacão.

A maneira como entendemos nosso relacionamento com Deus e como nos *sentimos* em relação a esse relacionamento é formada e desenvolvida pela cultura da igreja em que estamos. Temos a tendência de equiparar nossa situação diante dos líderes da igreja e dos demais membros — isto é, nossa conformidade ao que eles aprovam e desaprovam — com nossa situação diante de Deus. Por vezes, esse parâmetro é reforçado de púlpito: "Esse é o tipo de pessoa que desejamos ser". Com maior frequência, a aprovação ou desaprovação é comunicada de formas mais sutis, como, por exemplo, por meio de passagens das Escrituras que são ou não ensinadas, quem pode ou não ocupar o palco aos domingos, quem é escolhido para a liderança, ou qual é a narrativa preponderante a respeito de como a igreja deve interagir com o mundo.

Talvez gostemos de *imaginar* que somos individualistas durões, mas não somos. Vivenciamos nossa identidade em relacionamentos com os outros. Se uma igreja é corrompida ou tóxica nos relacionamentos, seus parâmetros de aprovação também são corrompidos e tóxicos. Se uma igreja é boa e saudável nos relacionamentos, seus parâmetros de aprovação também são bons e saudáveis. Claro que nenhuma igreja é perfeita, e sempre haverá um misto de corrupção e bondade, mas devemos nos esforçar continuamente para desenvolver bondade, pois o ambiente nos transforma naquilo que nos tornamos. Quanto mais tempo ficarmos em uma igreja, mais absorveremos a cultura dessa igreja. Por isso, David Brooks adverte em *The Second Mountain* que não devemos subestimar o poder da cultura de nos moldar.

Vamos deixar algo claro desde o início: Escolher uma igreja é escolher uma cultura, e a cultura que escolhemos nos transforma naquilo que nos tornamos. Portanto, em vez de escolher uma igreja com base em quem prega na manhã de domingo, ou quem dirige o louvor, ou que tipo de música preferimos, é sensato fazer nossa seleção com base na *cultura* da comunidade da igreja. Neste capítulo, esboçaremos os principais elementos de uma *boa* cultura eclesiástica, o que chamamos *cultura de* tov.

Jesus entende de cultura

Comecemos com a leitura de um breve sermão de Jesus sobre como a cultura molda as pessoas. Em Lucas 11.34-36, ele faz uma analogia e diz que o que entra pelos olhos transforma todo o corpo.

A FORMAÇÃO DE UMA CULTURA DE BONDADE • 99

Seus olhos são como uma lâmpada que ilumina todo o corpo. Quando os olhos são bons, todo o corpo se enche de luz. Mas, quando são maus, o corpo se enche de escuridão. Portanto, tomem cuidado para que sua luz não seja, na verdade, escuridão. Se estiverem cheios de luz, sem nenhum canto escuro, sua vida inteira será radiante, como se uma lamparina os estivesse iluminando.

Permita-me propor um reuso flexível dessas palavras de Jesus. Os olhos da cultura de nossa igreja iluminam toda a igreja. Se os olhos de nossa igreja são bons, toda a cultura da igreja se enche de luz. Se os olhos de nossa igreja são maus, toda a cultura da igreja se enche de escuridão. Se a igreja estiver cheia de luz, sua vida inteira será radiante. A cultura é importante, pois a luz dessa cultura permeia todas as coisas.

Uma reação surpreendente a uma postagem de blog

Em meu (Scot) blog *Jesus Creed*, apresentei de forma sucinta, em 9 de julho de 2018, a necessidade de as igrejas promoverem intencionalmente uma cultura de bondade.[1] Fiquei surpreso com o número de pessoas que comentou por escrito ou pessoalmente comigo o quanto as palavras *bom* e *bondade* foram significativas. Por que é significativo propor que as igrejas precisam ser *boas*? Por que é tão surpreendente para muitos que devamos nos esforçar para desenvolver *bondade*?

Eis o motivo: Não nos sentimos à vontade com a palavra *bom* quando se refere a nós mesmos. Para muitos, dizer "Eu sou bom" é o cúmulo da arrogância. Uma das implicações da teologia protestante é que qualquer conversa de que somos bons é inapropriada, um erro teológico insidioso, ou, no mínimo, vanglória que não combina com cristianismo. Um versículo bíblico que aprendi quando era criança ("Não há ninguém

100 • UMA IGREJA CHAMADA *TOV*

que faça o bem, não há nem um só" [Rm 3.12, RC]) é essencial para Romanos 3, em que Paulo cita o Antigo Testamento a fim de mostrar como a lei evidencia nossa pecaminosidade. Nesse contexto, Paulo reúne uma série de virtudes que nós, como pecadores, não devemos arrogar:

Ninguém é justo.
Ninguém é verdadeiramente sábio.
Ninguém busca a Deus.
Ninguém faz o bem.
Ninguém conhece o caminho da paz.
Ninguém teme a Deus. (Rm 3.10-12,17-18)

Uma vez que todos estão presos em uma imensa rede de pecado, ninguém pode se colocar diante de Deus e dizer: "Eu sou bom". É contrário à Bíblia.

Ou será que não?

Essa negação clara de nossa bondade não é a história toda. Embora não sejamos bons, Deus inverte essa realidade e nos chama a *praticar* o bem, a *ser* bons e a ser conhecidos por *boas obras*. Como conciliar "ninguém é bom" com "portanto, seja bom"? Não somos bons de nós mesmos. Não temos condições de produzir nossa própria bondade. Fazer o bem e ser bons é possível *somente* pela graça capacitadora de Deus (Rm 12.21; Gl 6.9; Ef 2.10; 1Ts 5.15; 2Ts 3.13; 2Tm 3.17; Tt 3.8; Hb 13.16,20-21; Tg 3.13; 1Pe 3.11). A bondade é uma das manifestações da presença do Espírito Santo em nossa vida (Gl 5.22).

Uma vez que a bondade é tão essencial para este livro, queremos dedicar algum tempo a entender o que a Bíblia diz a seu respeito.[2]

As ideias centrais a respeito de *tov*

Tov, o termo hebraico para "bom" ou "bondade", é de longe uma das palavras que mais aparecem na Bíblia. Com mais de setecentas ocorrências nas Escrituras, podemos dizer que a Bíblia é nosso Livro de *Tov*. Por certo, estas linhas poéticas do profeta Amós revelam a importância da bondade para aqueles que ouvem o chamado de Deus:

> Façam *tov* e fujam do mal,
>> para que tenham vida!
>
> Então o Senhor, o Deus dos Exércitos, os ajudará,
>> como vocês afirmam.
>
> Odeiem o mal e amem *tov*,
>> estabeleçam a justiça em seus tribunais.

Amós 5.14-15

Desde a primeira página da Bíblia, *tov* é seu termo sumário, a "virtude executiva" que designa como Deus deseja que vivamos. Uma vez que *tov* se estende para todas as direções, convém dividir o termo em temas separados.

Somente Deus é tov

A bondade, ou *tov*, diz respeito, primeiramente e acima de tudo, a Deus: Deus é *tov*. O salmista declara: "Tu és *tov* e fazes somente *tov*" (Sl 119.68). Quando Deus escolheu revelar sua glória a Moisés, escondeu-o na fenda de uma rocha no monte Sinai e disse: "Farei passar diante de você toda a minha *tov* e anunciarei diante de você o meu nome, Javé" (Êx 33.19). Quando a *tov* de Deus passou diante de Moisés, a palma da mão de Deus protegeu Moisés de ser destruído pela pura intensidade da glória divina. Enquanto a *tov* de Deus passava, ele anunciou seu nome: YHWH. Portanto, a *tov* de Deus se tornou inextricavelmente ligada a seu nome. Essa é a importância fundamental de *tov* na Bíblia.

Deus **é** *tov* e Deus **faz** *tov* — em várias ocasiões, essa é uma referência à prática divina de firmar alianças e a atos generosos de salvação. "Nenhuma das promessas *tov* que o Senhor fez à família de Israel ficou sem se cumprir; tudo que ele tinha dito se realizou" (Js 21.45). Deus não apenas é bom, mas também nos busca com bondade: "Certamente a *tov* e o amor de Deus me seguirão todos os dias da minha vida" (Sl 23.6). Não deixe passar despercebido: Deus nos *persegue* implacável e tenazmente com *tov*. Aqueles que buscam refúgio nele recebem o convite: "Provem e vejam que o Senhor é *tov*" (Sl 34.8). Aqueles que provam essa *tov* também podem dizer: "Como é *tov* estar perto de Deus!" (Sl 73.28).

Aqueles que buscam, provam e se aproximam logo descobrem que o Deus de *tov* é repleto de amor divino. Portanto, ergamos nossas vozes e cantemos com o rei Davi: "Ó Senhor, tu és tão *tov*, tão pronto a perdoar, tão cheio de amor por todos que te buscam" (Sl 86.5). *Tov* é uma palavra de grande importância na Bíblia, pois o Deus da Bíblia é inteiramente *tov*.

O plano de Deus é tov

Tov é o plano de Deus para toda a criação. Ele forma todas as coisas para a bondade. O fato de ele transformar a terra "sem forma e vazia" (Gn 1.2) em ordem criada conferiu a tudo o que ele criou um plano, um propósito, uma função. *Tov* é a avaliação artística de Deus de tudo o que ele fez.[3] Em outras palavras: Perfeito, excelente, exatamente como eu queria! *Tov* diz respeito a beleza, estética, excelência e àquilo que agrada nossos sentidos de visão e audição. Como um piano tocado com habilidade, uma tacada de golfe coordenada, a palavra certa para a situação certa, uma catedral europeia que se eleva acima de todos os outros edifícios e nos chama para orar e adorar, uma sala de jantar belamente arrumada, um evento bem organizado, um cão *beagle* alegre seguindo seu faro no gramado. Tudo isso é *tov*. *Tov* se refere ao que é visualmente agradável e aprazível, ao que é desejável, de alta qualidade, excelente. Quando tudo está em seu devido lugar, cumprindo sua devida função, dizemos: *Tov*!

Quando vivemos de acordo com o plano de Deus, torna-mo-nos pessoas que *amam*. O plano maior de Deus para nós é o amor. Quando um especialista na lei de Deus perguntou a Jesus o que era necessário para receber a aprovação de Deus, o que Jesus lhe respondeu? Amar a Deus e amar os outros (Mc 12.28-32). É o que eu (Scot), chamo "o Credo de Jesus".[4] Amar a Deus e amar os outros é "só" o que somos chamados a fazer, embora seja um "só" que se estende ao mais profundo de nosso ser e transforma nosso caráter em amor. Amar é *tov*.

O plano de Deus para nós se cumpre por meio de uma vida *embebida do Espírito, preenchida pelo Espírito* e *dirigida pelo Espírito*. O amor é o primeiro fruto do Espírito, e todos que se abrem para o Espírito amam a Deus e amam os outros. Todos que se abrem para o Espírito são enchidos de *tov*.

Uma vida *tov* é algo que se desenvolve em nós ao longo do tempo. Ninguém, pelo menos ninguém que conhecemos, acordou no primeiro dia da vida cristã e descobriu que era capaz de amar de forma instantânea, permanente e profunda. Com o tempo, em conformidade com o plano de Deus para nós e por meio da operação interior do Espírito de Deus em nossa vida, desenvolvemos caráter *tov*, caráter que Deus aprova. O caráter *tov* é formado por meio de comportamento *tov* cheio do Espírito, e aqueles que têm caráter *tov* se comportam de maneiras *tov*. Em outras palavras, *tov* é *ativo*.

Tov é ativa

Tov é o plano de Deus para nossas virtudes morais. *Tov* é algo que acontece, algo visível. Quando o apóstolo Pedro resumiu o ministério público de Jesus, disse: "[Vocês] sabem também que Deus ungiu Jesus de Nazaré com o Espírito Santo e com poder. Então Jesus foi por toda parte *fazendo o bem* e curando todos os oprimidos pelo diabo, porque Deus estava com ele" (At 10.38, grifo nosso). O termo grego traduzido pela expressão "fazendo o bem" é *euergetes*: *eu* ("bom" ou *tov*) e *ergetes* (trabalhar, realizar feitos). Em João 10.11, Jesus se refere a si mesmo como "o bom pastor". Jesus teve uma vida de bondade observável, pois ele era inerentemente bom. Naturalmente, o Messias *tov* foi por toda parte fazendo *tov*.

Podemos expressar essa ideia de modo ainda mais enfático: Jesus não apenas **faz** *tov*; ele **é** *tov*. Quando olhamos para Jesus, vemos *tov*. Ser como Jesus (semelhantes a Cristo) é ser *tov*; e ser *tov* é ser como Jesus.

O tema da prática ativa de *tov* está presente em toda a Bíblia. O famoso pedido de Salomão a Deus inclui um resumo essencial de como viver na presença de nosso Deus *tov*: Salomão ora para que Deus ensine seu povo, Israel "a seguir o caminho *tov*" (1Rs 8.36). O povo de Deus deve andar no "caminho *tov*", o caminho do belo plano de Deus para nós. Jesus nos ensinou a fazer "o bem" a nossos inimigos e a ser pessoas que produzam "frutos bons" (Lc 6.35; Mt 7.17-19).

Devemos lembrar, porém, que não nos tornamos pessoas *tov* por nossa própria conta. Deus nos transforma pelo poder de seu Espírito Santo, para o qual *bondade* é um fruto natural

(Gl 5.22). O apóstolo Paulo dá uma clara injeção de ânimo para os cristãos romanos ao dizer: "Meus irmãos, estou plenamente convencido de que vocês estão cheios de bondade" (Rm 15.14). Ao escrever para os efésios, Paulo repete seu ensino aos gálatas a respeito do fruto do Espírito quando diz: "Pois o fruto da luz produz apenas o que é *bom*, justo e verdadeiro" (Ef 5.9, grifo nosso). Repetidamente, o Novo Testamento nos chama a ser pessoas conformadas à *bondade*, e esse termo no Novo Testamento é equivalente a *tov* no Antigo Testamento.[5] Diga em voz alta: "O fruto do Espírito Santo é *tov*".

A principal expressão de *tov* é *generosidade*. Na parábola dos trabalhadores do vinhedo em Mateus 20.1-15, o dono da propriedade (que representa Deus na história) diz: "Você está com inveja porque fui *bondoso* com os outros?" (grifo nosso). A NVI traz: "Você está com inveja porque sou *generoso*?" (grifo nosso). A palavra grega traduzida por esses termos em itálico é *agathos*, outro termo para *bom*. Se estivesse em hebraico, seria *tov*. Ser *tov* é ser generoso. Os vizinhos de porta da generosidade são integridade, fidelidade, afabilidade e gentileza.

Ser *tov* é ser uma pessoa que, de dentro para fora, faz constantemente aquilo que é certo e generoso. Uma cultura *tov* se forma quando indivíduos são *tov* e praticam atos de *tov*.

Pouco tempo atrás, eu (Scot) li uma história a respeito de um de meus técnicos prediletos do basquete masculino da NCAA, Tony Bennett, da Universidade de Virginia. Depois que seu time venceu pela primeira vez o campeonato nacional em 2019, a universidade ofereceu a Bennet uma extensão de contrato e um aumento de salário. Ele aceitou o ano adicional, mas tinha outros planos para o dinheiro. Ao ler o relato abaixo, talvez você tenha a mesma reação que eu: Isso é *tov*!

Tony Bennett recusou um aumento quando estendeu o contrato por mais um ano.

Os Cavaliers anunciaram a extensão na segunda-feira e informaram que Bennett pediu que o dinheiro fosse usado para aumentar o salário dos membros de sua equipe e para fazer melhorias em seu programa, bem como em outros times atléticos de Virginia.

"[Minha esposa] Laurel e eu estamos em excelente situação e, no passado, recebi aumentos em meu contrato", Bennett disse em comunicado para a imprensa. "Estamos em paz a respeito de nossa situação, de tudo o que aconteceu e daquilo que sentimos por esse departamento de esportes, essa comunidade e essa instituição de ensino. Amo fazer parte da Universidade de Virginia. [...]

"Tenho mais que suficiente, e se esse valor puder ajudar o departamento de esportes, os outros programas e técnicos, sem concentrar tantos recursos [no time de basquete masculino], esse é meu desejo [...]".

"A decisão de Tony de recusar um merecido aumento e investir em seus jogadores e no departamento de esportes da Universidade de Virginia de modo mais amplo nos diz tudo o que precisamos saber sobre ele como líder e como ser humano", disse o presidente da universidade, Jim Ryan. "Tony é uma das pessoas mais abnegadas que conheço, e esse é apenas o exemplo mais recente."[6]

Tov é generosidade, e generosidade é *tov*. Tony Bennett mostrou o que significa buscar *tov* ativamente. Esse tipo de comportamento ajuda a formar uma cultura de *tov* em um time, em um departamento de esportes e em uma universidade. Indivíduos que agem por bondade ajudam a formar uma cultura de bondade.

Tov *resiste ao mal*

O apóstolo Paulo nos incentiva a praticar o plano divino de *tov*. Diz que fomos criados por Deus para fazer *tov*: "Pois somos obra-prima de Deus, criados em Cristo Jesus *a fim de realizar as boas obras* que ele de antemão planejou para nós" (Ef 2.10, grifo nosso). Pedro também exorta os membros da igreja a praticar *tov*, para que "calem os ignorantes que os acusam falsamente" (1Pe 2.15; ver tb. 2.20; 3.11,17), mesmo diante de medo e sofrimento. "Se vocês sofrem porque cumprem a vontade de Deus, continuem a fazer o que é certo" (1Pe 4.19). Pedro também nos diz: "Por causa do Senhor, submetam-se a todas as autoridades humanas", cujo propósito é "honrar os que fazem o bem" (1Pe 2.13-14).

Como mencionamos acima, nós, protestantes, temos receio de aplicar a palavra *bom* a seres humanos. Algumas traduções de 1Pedro refletem esse receio e preferem termos como *honrado* ou *certo* em lugar de *bom*. Mas esses versículos em 1Pedro usam a palavra que significa *bom* ou *fazer o bem*.

O fruto do Espírito começa com amor e inclui bondade, mas se focalizarmos as características positivas mencionadas em Gálatas 5.22-23 e não atentarmos para os "desejos da natureza humana" descritos nos versículos 19-21, talvez deixemos passar algo importante: Cada aspecto do fruto do Espírito também é *um ato de resistência*. Fazer *tov* exige que resistamos àquilo que não é *tov*, àquilo que é mau, perverso e corrupto. Viver no Espírito é resistir às obras ou aos atos da carne. Repetidamente, a Bíblia ensina que devemos buscar a bondade e nos afastar do mal. Paulo diz: "Quando seguem os desejos da natureza humana, os resultados são extremamente claros", e em seguida relaciona coisas como imoralidade sexual, ódio, inveja, acessos de raiva e ambições egoístas (Gl 5.19-20). Ter uma vida de *tov* significa resistir à pecaminosidade e à toxicidade desses atos da carne.

Resistir ao mal é um tema que ressoa profundamente na Bíblia. Desde o início, o bem (*tov*) é contrastado com o mal (*ra*):

"No meio do jardim, [Deus] colocou [...] a árvore do conhecimento de *tov* e de *ra*" (Gn 2.9). Somente Deus conhece a pro-fundidade de *tov* e de *ra* (Gn 3.5). Se *tov* nos mostra o desejo de Deus para a criação que ele formou com propósitos, *ra* aponta para a direção oposta.

Assim como Deus, o futuro Messias saberia a diferença entre *tov* e *ra* (Is 7.15-16); aqueles que o profeta considera felizes também sabem (Is 56.2). Os desobedientes, em contrapartida, continuam "a seguir os desejos teimosos de seu coração perverso [*ra*]" (Jr 7.24); portanto, o salmista diz: "Afaste-se de *ra* e faça *tov*" (Sl 37.27). Provérbios 14.22 traz a seguinte promessa: "Os que tramam fazer *ra* se perdem, mas os que planejam fazer *tov* encontram amor e fidelidade". Aqueles que fazem o que é *tov* dão as costas para o que é *ra*. Fazer um é resistir ao outro.

A aprovação absoluta de Deus

Tov resume em uma só palavra a aprovação absoluta de Deus. Ele não tem um sistema de notas. Em nenhum lugar da Bíblia é dito que Moisés tirou nota 10, Davi tirou 8, Salomão tirou 7, Isaías tirou 10, Paulo tirou 10 e Pedro, bem, ele tomou jeito no final e tirou 9. Não. O índice de aprovação final de Deus é simplesmente *tov*.

Quando Deus se pronunciou do céu no batismo de Jesus e disse: "Este é meu Filho amado, que me dá grande alegria" (Mt 3.17), isso foi *tov*. A vida de Jesus? *Tov*. Os ensinamentos de Jesus? *Tov*. O que ele realizou com sua morte, ressurreição e ascensão? *Tov*. Em Cristo, tudo é *tov*.

Quando nós, como igreja, vivemos conforme o plano de Deus, ouvimos o maravilhoso "*Tov!*" de Deus. Quando educamos nossos filhos conforme o plano de Deus, quando trabalhamos como

Deus quer, quando amamos como Deus nos formou para que amássemos... *tov*! Quando vivemos, agimos e falamos como Deus planeja, podemos ouvir sua aprovação absoluta: *Tov*!

O *tov* de Deus pode ser ouvido nas parábolas de Jesus quando ele diz: "Muito bem!" (Mt 25.21-23; Lc 19.17). Para completar, Jesus diz que o servo na parábola é "bom e fiel". Mais uma vez, *tov*. Lucas diz que um homem chamado José era "bom e justo" (Lc 23.50), uma avaliação abrangente de seu caráter. *Tov*!

Tov abarca toda a história. Na Criação, Deus olhou para a obra de suas mãos e, quando tudo estava exatamente como ele desejava, colocou seu selo de aprovação absoluta: "*Tov*!". E, no julgamento final, há somente uma palavra que desejamos ouvir: *Tov*! *Tov* é a única coisa que importa. *Tov* é o plano divino e a avaliação divina. É o prazer divino, a atratividade divina e a satisfação divina.

O evangelho *tov*

Mais uma observação, um aparte para reflexão: O termo *evangelho* pode ser traduzido por "mensagem de *tov*". O termo costuma ser traduzido por "boa-nova", uma expressão precisa. A palavra grega combina "bom" (*eu*) e "declaração" (*angelos*), e esse pequeno *eu* grego é o mesmo termo usado, por vezes, para traduzir a palavra hebraica *tov*.[7] Juntando essas ideias, vemos que o evangelho é a mensagem de *tov*. O evangelho fala da *tov* de Deus que veio a nós em Jesus, que é *tov* e, portanto, nos torna agentes de *tov*.

Se entendemos o impacto que a cultura de nossa igreja exerce sobre nós, não podemos subestimar a importância de criar uma cultura *tov*. Deus planejou toda a criação e tudo o que faz parte dela — o que inclui você, eu e nossas igrejas — para *tov*. *Tov* é tanto o plano quanto a aprovação absoluta de Deus.

Jesus, o único verdadeiro homem de *tov*

Toda igreja precisa de um modelo de bondade em seus pastores, líderes e membros. Não causa surpresa que o exemplo perfeito de *tov* seja Jesus. Pegue a Bíblia, leia Mateus 8—9 e você verá *tov* em ação. Jesus é acessível, disposto, compassivo e humilde (p. ex., Mt 8.2-4). Ele ensina, incentiva, admoesta e desafia. Ele cura, perdoa e restaura porque ele vê e ouve. E também dá exemplo de *tov* como *resistência* a *ra* ao tocar os cerimonialmente impuros, comer com cobradores de impostos e outros pecadores de má fama, confrontar o mal presente no coração das pessoas, expulsar espíritos malignos com uma simples ordem e curar todos os enfermos (Mt 8.3-16; Mt 9.4,10). Em seguida, encontramos a seguinte declaração resumida: "Jesus andava por todas as cidades e todos os povoados [...] anunciando as boas-novas do reino" (Mt 9.35). Ele fazia tudo isso porque Deus estava *com* ele, estava *nele* e operava *por meio* dele a fim de realizar o evangelho *tov* para todos nós.

Jesus conhecia o *plano* de Deus para sua vida: viver, morrer e ser ressuscitado para outros. Sua vida inteira foi vivida para outros. Jesus foi um bom e belo homem de *virtudes* moldadas pelo plano de Deus, e nada ilustra melhor suas virtudes que as Bem-Aventuranças, a parte do Sermão do Monte em que ele abençoa uma porção de gente "errada" (aos olhos do mundo) e lhes confere um lugar junto de Deus. As pessoas que ele abençoa são caracterizadas por um modo de vida:

> Felizes os pobres de espírito,
> pois o reino dos céus lhes pertence.
> Felizes os que choram,
> pois serão consolados.
> Felizes os humildes,

pois herdarão a terra.
Felizes os que têm fome e sede de justiça,
    pois serão saciados.
Felizes os misericordiosos,
    pois serão tratados com misericórdia.
Felizes os que têm coração puro,
    pois verão a Deus.
Felizes os que promovem a paz,
    pois serão chamados filhos de Deus.
Felizes os perseguidos por causa da justiça,
    pois o reino dos céus lhes pertence.

Felizes são vocês quando, por minha causa, sofrerem zombaria e perseguição, e quando outros, mentindo, disserem todo tipo de maldade a seu respeito. Alegrem-se e exultem, porque uma grande recompensa os espera no céu. E lembrem-se de que os antigos profetas foram perseguidos da mesma forma.

Mateus 5.3-12

A vida de Jesus na terra terminou com uma morte horrenda. Mas essa morte foi inteiramente anulada por uma vida ressurreta tão forte que despedaçou as cadeias de pecado e morte. Jesus subiu ao céu com a *aprovação* de seu Pai (isso é *tov*!) para governar ao lado direito do Deus Todo-Poderoso. Uma vida planejada para morte, uma morte planejada para vida, e as virtudes de total bondade naquilo que ele ensinou e em como ele viveu. Esse é Jesus, o único verdadeiramente belo e *tov*.

A formação de uma igreja *tov*

Se nós, como indivíduos na igreja, buscarmos o modo de vida *tov* de Jesus, ajudaremos a criar uma cultura eclesiástica *tov*. Uma "igreja chamada *tov*" é planejada por Deus para realizar seu propósito no mundo ao fazer as coisas à sua maneira. Não criamos igrejas *tov* com nossa própria força, garra e determinação, nem por meio de programações criativas. Igrejas *tov* são obra do Espírito de Deus, colocado em ação para criar *tov* e os oito atributos que Paulo esboça em Gálatas 5. O que Deus tem em mente é uma comunidade de cristãos caracterizada por amor, alegria, paz, paciência, gentileza, *tov*, fidelidade e domínio próprio a respeito da qual ele possa dizer: "É isso mesmo! Foi o que planejei! Excelente! Bom demais! Isso é *tov*!".

Nos capítulos a seguir, trataremos de sete elementos fundamentais de uma cultura *tov*: (1) empatia e compaixão, (2) graça e bondade, (3) priorização de pessoas, (4) veracidade, (5) justiça, (6) serviço e (7) semelhança a Cristo. A cultura tóxica resiste à cultura *tov*, mas a cultura *tov*, pelo poder do Espírito Santo, luta contra a cultura tóxica e a conquista.

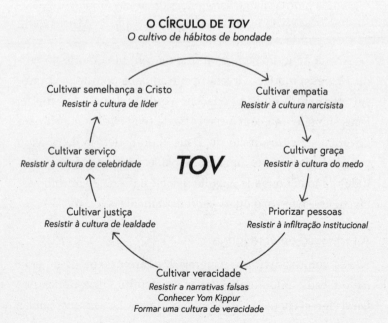

O CÍRCULO DE *TOV*
O cultivo de hábitos de bondade

6

Igrejas *tov* cultivam empatia

Jesus prestava atenção nos feridos. Quando ele pregou seu primeiro sermão na sinagoga de sua cidade, leu uma passagem do profeta Isaías:

> O Espírito do Senhor está sobre mim,
> pois ele me ungiu para trazer as boas-novas aos *pobres*.
> Ele me enviou para anunciar que os *cativos* serão soltos,
> os *cegos* verão,
> os *oprimidos* serão libertos,
> e que é chegado o tempo do favor do Senhor.
> Lucas 4.18-19 (grifo nosso)

Não sabemos todos os detalhes — por que Jesus foi o leitor naquele dia ou por que esse foi o texto lido — mas sabemos de uma coisa: havia total consonância entre o texto e Jesus. Foi um momento *tov*. A predição impressionante pelo profeta Isaías daquilo que Deus faria para restaurar a sorte de seu povo se alinhava perfeitamente com a missão de Jesus e com a compaixão dele por seu povo na Galileia. Ele veio para "trazer as boas-novas [a mensagem de *tov*] aos pobres" e "anunciar que os cativos serão soltos [receberão perdão, libertação]". Ele daria visão aos "cegos" e liberdade aos "oprimidos". No centro da missão de Jesus estão o ferido, o desconsiderado, o ignorado, a vítima de abuso, o perdido, o violado. Ele os vê porque tem os olhos de Deus.

Em todos os aspectos, uma palavra que descreve a essência de Jesus é *empatia*, parte do termo traduzido por "compaixão" em nossas versões da Bíblia. Empatia é a capacidade de sentir o que a outra pessoa sente, sair de nossos sentimentos e entrar na experiência de outros. Portanto, empatia é a capacidade de ver o mundo pelas lentes da dor do outro. Jesus, fiel ao chamado de empatia que recebeu de Deus, foi sempre compassivo com todos com quem interagiu.

Compaixão é fruto de empatia

Enquanto este livro era escrito, mais uma história horrorizante de violência armada apareceu nos noticiários. Um atirador solitário matou 22 pessoas em um supermercado Walmart em El Paso, Texas. Uma das vítimas foi Margie Reckard, uma mulher de 63 que estava fazendo compras, como era seu costume aos sábados.

Margie e seu marido, Antonio Basco, não tinham parentes na região de El Paso, só alguns poucos amigos. Os filhos de Margie de um casamento anterior moravam em outra cidade. Sozinho e aflito, Basco levava flores todos os dias para um monumento improvisado do lado de fora do supermercado e ficava ali horas a fio, do amanhecer até o anoitecer. Por vezes, voltava à noite e dormia no chão, junto ao monumento. Fotos mostravam o evidente pesar de Basco, encurvado e em lágrimas com a perda de sua esposa, o rosto cheio de angústia.

Basco falou de seus medos a Salvador Perches, que trabalhava na funerária. Seu medo de estar sozinho, pois não tinha família além de Margie. Seu medo de que ninguém fosse ao

IGREJAS *TOV* CULTIVAM EMPATIA • 115

enterro de sua esposa. Quando Perches colocou no Facebook uma mensagem sobre Basco, com uma foto dele junto ao monumento improvisado para Margie, a postagem viralizou em pouco tempo. Dizia: "O sr. Antonio Basco foi casado por 22 anos com sua esposa, Margie Reckard. Ele não tem outros familiares. Todos que desejarem comparecer ao velório são bem--vindos. [...] Vamos mostrar para ele e sua esposa um pouco de amor de El Paso".[1]

A empatia viralizou e foi seguida de compaixão. *Tov* cobriu El Paso.

Mais de três mil pessoas compareceram ao velório, e algumas esperaram horas para abraçar Antonio Basco, expressar sinceras condolências e lhe entregar presentes. No funeral de Margie, o último sepultamento dentre as 22 vítimas, Basco foi recebido na funerária por quatrocentas pessoas. Outras setecentas esperavam do lado de fora, no calor do Texas, para expressar condolências ao marido enlutado, formando uma fila de oitocentos metros, que dava a volta na quadra. Vizinhos prepararam mesas com comida e água para as pessoas na fila.

Uma pessoa foi de avião de San Francisco para El Paso a fim de comparecer ao funeral de uma mulher que ela não conhecia e oferecer apoio a um homem que ela nunca tinha visto. Outra mulher viajou seis horas de carro e esperou mais duas horas na fila para dizer a Basco, alguém que ela não conhecia, que ela o amava e que ele não estava sozinho.[2] Victor Perales, morador de El Paso, disse que ele e sua esposa foram ao funeral para "dar um abraço nele [em Basco] e mostrar que podemos ser sua família".[3] Foi o que fizeram centenas de pessoas. Havia mais de novecentas coroas de flores e dez mil mensagens de pêsames, vindas até mesmo de lugares distantes como Nova Zelândia, Noruega e Japão. E uma campanha organizada no site GoFundMe pelo jornalista Carlos Armendariz, cujas fotos de Basco no monumento improvisado também viralizaram, arrecadou mais de 41 mil dólares, doados por 1.425 pessoas.[4]

Basco nunca havia sentido tanto amor em toda a sua vida. "Tantas pessoas me abraçaram, se entristeceram comigo, choraram comigo. Tocou meu coração", disse ele no cemitério. "Amo vocês, sinto orgulho de vocês e é uma honra tê-los todos aqui como minha família."[5]

A empatia se caracteriza pela capacidade de sentir a dor do outro; a compaixão se caracteriza pelo "desejo de aliviar ou reduzir o sofrimento do outro" e tomar uma providência.[6] A comunidade de El Paso viu a dor de Antonio Basco. Viu seu sofrimento. Viu sua solidão e se mobilizou para consolá-lo e estar com ele. Isso é *tov*!

Deus criou a igreja para que seja uma cultura *tov* cheia de empatia e compaixão. Deus criou a igreja para abraçar os pobres, os oprimidos e os necessitados deste mundo, pois, como Jesus, desejamos aliviar sua dor.

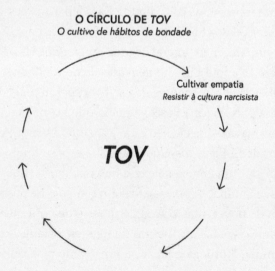

O CÍRCULO DE *TOV*
O cultivo de hábitos de bondade

Cultivar empatia
Resistir à cultura narcisista

TOV

O desenvolvimento de uma cultura de empatia

Qualquer igreja que afirme ter ligação com Jesus, qualquer igreja que deseje seguir Jesus, precisa inquestionavelmente ter sensibilidade para com os feridos e marginalizados. Infelizmente, muitas igrejas são desprovidas de empatia e, portanto, de compaixão.

Eis alguns exemplos de pessoas que talvez sofram falta de empatia e compaixão. Ao nos dedicarmos a desenvolver uma cultura *tov* em nossas igrejas, essas podem ser *oportunidades* de resistir à indiferença e à insensibilidade por meio da formação de uma cultura arraigada em empatia e compaixão.

- Mulheres às quais não é permitido exercer seus dons na igreja.
- Mulheres (e outras pessoas) nas quais ninguém acredita quando dizem que sofreram abuso de líderes da igreja.
- Viúvas que, aos poucos, deixam de participar ativamente e se retraem para os bancos do fundo da igreja, ou mesmo saem por suas portas quando o marido falece.
- Viúvos que, embora não sejam tão numerosos quanto as viúvas, sentem-se sozinhos na igreja.
- Pessoas com necessidades físicas especiais que, por vezes, nem conseguem entrar na igreja, pois não é adaptada para eles.
- Os que sofrem de depressão, ansiedade, transtorno obsessivo-compulsivo e que relutam em dividir com outros essas dificuldades pessoais.
- Os idosos, que, com frequência, são ignorados ou tratados com impaciência.
- Os divorciados, que se sentem excluídos ou julgados.
- Os que fazem parte de classes econômicas diferentes e

que, por vezes, não têm condições de participar de eventos com toda a igreja por falta de recursos.

- Os que são étnica ou racialmente diferentes da cultura majoritária, predominante ou privilegiada na igreja.
- Outros que se distinguem das características demográficas preponderantes da igreja.

Igrejas que seguem Jesus não se dedicam à causa de apenas um grupo específico; desenvolvem uma cultura em que ouvem os clamores de todos os aflitos e feridos e atendem com compaixão. Igrejas que têm um Círculo de *Tov* desenvolvem um "radar de empatia" com uma propensão instintiva para atos de graça, paz, misericórdia e bondade para com todos.

Quando uma cultura de bondade é verdadeiramente boa, chega a todos os cantos da igreja. Embora aqui focalizemos principalmente como as igrejas podem ter mais empatia pelas mulheres — em razão daquilo que aconteceu com mulheres em tantas igrejas —, nossas considerações podem ser igualmente aplicadas a racismo, classismo e outros "ismos" que rebaixam aqueles que, como nós, são portadores da imagem divina. A maneira que a igreja trata as mulheres é, com frequência, um barômetro de sua cultura e de como trata as pessoas em geral. E, quando consideramos que mais da metade dos membros da maioria das igrejas é de mulheres, esse parece ser um ponto de partida natural ao falar do desenvolvimento de uma cultura de *tov* na igreja.

O Círculo de *Tov* começa com empatia e compaixão. A ausência dessas qualidades aumenta a probabilidade de a cultura da igreja ser abusiva em relação a mulheres e a outros membros. Quando uma igreja desenvolve forte empatia pelas mulheres e por outros grupos que costumam ser marginalizados, quando os pastores têm mais empatia, cremos que uma cultura completamente diferente, caracterizada por *tov*, começa a criar raízes. Nessa cultura, os dons das mulheres desabrocham, sua voz é ouvida, e elas têm segurança. Nessa cultura, as mulheres se tornam muito mais visíveis e muito mais valorizadas.

Mulheres que procuram exercer seus dons na igreja são vistas, por vezes, como ameaça por pastores narcisistas envolvidos em jogos de poder e cercados de bajuladores determinados a proteger sua cultura androcêntrica.[7] Essa declaração parece forte demais? Veja o posicionamento assumido por John MacArthur, líder conhecido e influente, que disse a uma mulher, também proeminente na igreja: "Vá para casa!".[8] Essas atitudes empurraram as mulheres para fora da igreja e as levam a buscar espaço na sociedade de modo mais amplo, onde possam desenvolver suas aptidões. Mulheres silenciadas na igreja podem se tornar, e se tornam, vozes importantes fora da cultura eclesiástica androcêntrica. Contudo, seria muito melhor se, para começar, elas não fossem silenciadas.

Muitas vezes, a cultura na igreja simplesmente reflete a cultura da sociedade em geral. E, com frequência, é verdade que a cultura ocidental androcêntrica subestima ou desconsidera as contribuições das mulheres.

Não muito distante do número 10 da Rua Downing, em Londres, há um monumento às Mulheres da Segunda Guerra Mundial. Construído tardiamente em 2005 (*sessenta* anos depois do fim da guerra), o monumento de bronze de quase sete metros de altura fica no centro de Whitehall, uma das ruas mais movimentadas de Londres.[9] Enfileirados na metade superior do monumento, em seus quatro lados, há dezessete uniformes ou tipos de roupas usados pelas mulheres que ajudaram os ingleses a lutar contra os países do Eixo na Europa.

As roupas parecem ter sido penduradas em ganchos, e a ideia do artista foi dar a impressão de que "essas mulheres penduraram seus uniformes e voltaram à vida normal uma vez que a guerra chegou ao fim".[10]

O que mais me (Scot) impressionou quando estava na calçada observando a escultura foi a ausência de rostos e nomes no monumento. Todas essas mulheres — quase sete milhões de acordo com alguns cálculos — que contribuíram de forma tão importante durante a guerra foram reduzidas a roupas que vestiam e deveres que cumpriam. Essas mulheres sem nome e sem rosto da Segunda Guerra Mundial também simbolizam o silêncio imposto pela sociedade.

Uma vez que a maioria das igrejas tem uma cultura androcêntrica, quer em razão de uma liderança masculina narcisista, quer simplesmente em decorrência de determinada interpretação do Novo Testamento, as mulheres costumam ser colaboradoras invisíveis: úteis, mas não centrais, necessárias, mas não necessariamente valorizadas. Sem dúvida, há uma longa história de discussões bíblicas e controvérsias teológicas a respeito do "devido papel" das mulheres na igreja, aquilo que elas podem ou não fazer, mas esse tema extrapola o escopo da presente obra. O que está em discussão aqui é *como as pessoas são tratadas* na igreja, e o que estamos defendendo é uma cultura de empatia e compaixão. Nem sempre as mulheres experimentam uma quantidade expressiva dessas duas coisas.

Uma igreja chamada *tov* dará poder a mulheres (e a outros) para que exerçam seus dons e incentivará o desenvolvimento desses dons dentro do corpo de Cristo e no mundo. Em uma cultura de empatia e compaixão, as pessoas não são levadas a se sentir invisíveis. Elas são *vistas* e *ouvidas*. Quando trazem consigo suas feridas, são acolhidas, abraçadas e recebidas com graça e misericórdia. E quando trazem alegações de abuso, a igreja acredita nelas, oferece consolo e apoio, e busca e defende a verdade, mesmo que seja (ou, talvez, especialmente se for) necessário recorrer a tribunais de justiça. A igreja *tov* não protege a instituição à custa do indivíduo. A igreja *tov* não cria falsas narrativas para ocultar o que aconteceu e proteger os agressores. E a igreja *tov* faz tudo o que pode para não ferir novamente os feridos. Empatia e compaixão exigem nada menos que isso.

Apoio às mulheres na igreja

Como podemos formar uma cultura de *tov* em que mulheres (e outras pessoas) sejam honradas, valorizadas e tenham voz? O que podemos fazer para mudar a cultura androcêntrica e formar uma cultura mais equilibrada, em torno de homens e mulheres, que reflita uma cultura de *tov* à semelhança de Cristo?[11] Nosso objetivo é ser uma igreja em que *todos* sejam igualmente valorizados como portadores da imagem divina, com dons e aptidões investidos de poder pelo Espírito Santo. Como podemos trabalhar para desenvolver essa cultura?

Temos de lembrar como as culturas são formadas: líderes criam e apresentam uma narrativa preliminar, colocam em prática ou exemplificam valores para que outros vejam e imitem, ensinam princípios importantes de fé e prática e articulam diretrizes que reforçam os valores da organização. Essas narrativas, ações, princípios e diretrizes voltam a ser contados, praticados, ensinados e formados pela congregação.

Uma vez que tudo começa com uma narrativa, com as histórias que contamos, para iniciar o processo de formação de uma nova cultura de empatia e compaixão temos de aprender a contar uma nova história.

122 • UMA IGREJA CHAMADA *TOV*

Primeiro, a igreja que tem o compromisso de desenvolver uma cultura de *tov conhece o nome e a narrativa das mulheres da Bíblia*. É provável que todos nós tenhamos ouvido sermões sobre Ester ou Rute, e cada uma tem um livro da Bíblia com seu nome. Mas e quanto às mulheres menos conhecidas que desempenharam papéis importantes? O que o frequentador comum da igreja sabe sobre Lia ou Rebeca, sobre Miriã ou Abigail, Débora ou Hulda, Lídia ou Priscila, Febe ou Júnias, ou sobre as filhas de Filipe?

É verdade que as informações na Bíblia sobre algumas dessas mulheres são escassas em comparação com alguns dos homens. Mas sejamos honestos. Se foi possível escrever um livro *best-seller* sobre Jabez, cuja história tem cerca de setenta palavras nas Escrituras (dependendo da versão), sem dúvida podemos encontrar algumas lições valiosas até mesmo nas breves referências a muitas das mulheres da Bíblia.

Se estivermos interessados em apresentar uma visão abrangente e equilibrada do reino de Deus, buscaremos, estudaremos e ensinaremos as histórias não apenas dos homens, mas também das mulheres.

Mais de quinze anos trás, eu (Scot) escrevi um livro chamado *O Credo de Jesus*, em que há um capítulo sobre Maria, mãe de Jesus. Nesse capítulo, também conto histórias de outras mulheres. Pouco depois que o livro foi lançado, um líder de igreja telefonou para mim e disse duas coisas: primeiro, ele gostou do livro; segundo, uma vez que as histórias daquele capítulo eram sobre mulheres, ele não conseguiu se identificar com elas. Qual foi minha resposta? "Como você imagina que as mulheres e meninas na igreja se sentem *todos* os domingos?"

Segundo, uma igreja caracterizada por uma cultura de *tov*, empatia e compaixão *conhece o nome e a narrativa das mulheres na história da igreja*. Antes de prosseguir com a leitura, escreva um lembrete para ir a sua livraria física ou on-line predileta e comprar o livro *Extraordinary Women of Church History* [Mulheres extraordinárias da história da igreja], de Ruth Tucker. Quando o livro chegar, comece a ler e fale a outros sobre mulheres na história da igreja, mulheres como Mary McLeod Bethune.

Mary McLeod Bethune foi a primeira mulher afro-americana a fundar uma faculdade que oferecia cursos de quatro anos. Foi a primeira mulher afro-americana a ocupar um cargo elevado de diretoria em uma instituição pública.[12] Foi conselheira de três presidentes americanos e pode-se dizer que foi "uma das pessoas afro-americanas mais poderosas dos Estados Unidos" entre 1933 e 1945, de acordo com um de seus biógrafos.[13] Seu enfoque recaía sobre evangelismo, educação e reforma social. Na Faculdade Bethune (hoje Bethune-Cookman), Bíblia, diligência e inglês faziam parte da grande curricular.

Em 1936, ela refletiu sobre sua vida e sobre como o cristianismo operava nos EUA:

O negro tem de ir a uma igreja separada, embora afirme ser da mesma denominação [que alguns brancos]. Não lhe é permitido cantar em uníssono com o branco os magníficos hinos antigos de Calvino e dos Wesleys, os hinos triunfantes de Cristo e da glória eterna. Quando, por fim, ele é chamado para seu lugar final de descanso na terra, nem mesmo suas cinzas podem se misturar com as de seu irmão branco; antes, são levadas embora para um lugar distante em que o branco nem sequer é lembrado da existência desse negro. A julgar por aquilo que antecedeu a morte do negro, parece que ele foi preparado para um céu separado daquele que o branco imagina que só ele é apto a ocupar.[14]

124 • UMA IGREJA CHAMADA *TOV*

Bethune sofreu a total violação da dignidade que os brancos usavam contra os afro-americanos, mas não foi detida. Ela virou a mesa e conquistou seus inimigos com amor, diligência, estratégia e um sistema educacional criado para "elevar" mulheres e afro-americanos.

Conhecemos a história de Martin Luther King Jr., mas a vida dessa mulher importante e influente é quase esquecida. Em uma cultura de *tov*, desigualdades desse tipo são tratadas e corrigidas ao procurar descobrir e celebrar heróis da fé de todos os cantos da igreja.

Dois dos maiores teólogos da história da igreja foram São Basílio, o Grande, e seu irmão Gregório de Nissa. Junto com seu amigo Gregório de Nazianzo, tornaram-se conhecidos como Pais Capadócios e, no início do quarto século, estruturaram o que hoje consideramos ortodoxia cristã.

Suas histórias e sua teologia são amplamente conhecidas, mas não se pode dizer o mesmo da história de sua irmã inteligente, piedosa e exemplar, Macrina. Quando o noivo de Macrina faleceu, ela escolheu ser freira asceta em vez de se casar outra vez. Ela própria era teóloga brilhante, como seus irmãos reconheceram abertamente. Fundou um mosteiro e teve uma vida inteiramente dedicada a Deus em oração, estudo, conversas e obras de *tov*. E, no entanto, poucos fora da tradição ortodoxa conhecem seu nome. É hora de começarmos a contar, também, a história de mulheres como Macrina.

Em 2018, John Piper, um dos pastores e autores de maior destaque nos Estados Unidos, escreveu um livro chamado *21 Servants of Sovereign Joy* [21 servos da alegria soberana], que focaliza a vida de gigantes espirituais da história da igreja. No entanto, sua coleção traz apenas 21 homens brancos; nenhuma mulher, nenhuma pessoa de pele escura. No Círculo de *Tov*, precisamos expandir nosso alcance para que inclua as histórias de mulheres e de minorias. De que outra maneira podemos representar e começar a entender a abrangência e a diversidade do corpo de Cristo neste mundo?

Terceiro, uma congregação dedicada a promover uma cultura de *tov conhece o nome e a narrativas de mulheres da história de sua igreja local*. Por quê? Porque precisamos ver nossa história em comum pelos olhos de mulheres para que possamos começar a honrar e valorizar suas contribuições.

Quarto, uma cultura eclesiástica *tov desenvolve mulheres como agentes da obra redentora de Deus no mundo*. A fim de incentivar, reconhecer e celebrar colaboradores menos conhecidos da vida da igreja, temos de incorporar em nossos sermões as narrativas de mulheres, de marginalizados ou de feridos. Eu (Scot) sei como é difícil fazê-lo, pois preguei muitos sermões sem expandir o círculo de reconhecimento. Mesmo ao assumir o compromisso de incorporar mulheres, minorias ou marginalizados em meus sermões, tive dificuldade de encontrar histórias, pois, com frequência, elas não foram relatadas. É certeza, porém, que minha querida esposa, Kris, sempre chamará minha atenção quando eu pregar um sermão não inclusivo. E ela também toma nota dessa deficiência em congressos. Precisamos de pessoas desse tipo, que sejam a consciência da igreja, que incentivem, continuamente, a inclusão e a expansão do Círculo de *Tov*.

Contar as histórias de mulheres e de outros grupos marginalizados aumenta sua visibilidade, reconhece a validade de seus dons e incentiva outros membros da igreja a fazer o mesmo. Desenvolve uma cultura de empatia pelas mulheres, pelos feridos, pelos oprimidos. Todo líder de igreja precisa se perguntar se está desenvolvendo os dons de *todos* os membros.

126 • UMA IGREJA CHAMADA *TOV*

Quinto, uma igreja com uma cultura *tov promove intencionalmente as contribuições de mulheres no site da igreja e no púlpito durante os cultos*. Todos conhecem o poder da publicidade de criar e manter uma mentalidade desejada. Dê espaço para as mulheres; conte as histórias delas no púlpito, no site e nas redes sociais da igreja. Esse destaque para as contribuições de mulheres servirá para validá-las e, ao mesmo tempo, para desenvolver uma cultura que continue a honrá-las e valorizá-las. A cultura que tem empatia pelas mulheres e pelos marginalizados suprime a cultura de narcisismo.

Quando a cultura androcêntrica sofre uma reforma e se torna uma cultura que abrange homens e mulheres, apresenta uma imagem mais fiel do caráter de Deus, aquele que criou *todas* as pessoas como portadoras de sua imagem. Quando as vozes de mulheres se tornam costumeiras, comuns, esperadas e aceitas, a igreja se torna mais convidativa, inclusiva, cheia de empatia e compaixão, mais segura e protegida — para todos. Oramos para que chegue esse dia.

7
Igrejas *tov* cultivam graça

Pastores moldados por bondade são despenseiros da graça, agentes de Deus chamados para auxiliar aqueles a quem eles servem, estar com eles e lhes oferecer graça. O pastor Harold Senkbeil, que exerce o ministério há muitos anos na igreja luterana, cresceu em uma fazenda e aprendeu algumas das lições mais pastorais da vida com seu pai fazendeiro. Uma dessas lições foi sobre terna graça. Roberta (nome fictício) estava em seu leito de morte, com câncer, quando o pastor Senkbeil foi visitá-la e lhe ministrar a graça de *tov*. Todo pastor *tov* que conheço conta experiências semelhantes a esta:

> O câncer de Roberta era de um tipo especialmente agressivo; àquela altura, havia tomado conta da maior parte de seus órgãos vitais. O lenço que escondia sua cabeça careca dava testemunho silencioso do tratamento radical de quimioterapia que seu corpo havia suportado em uma tentativa inútil de protelar a morte.
> Ela estendeu uma das mãos fracas para mim e abriu um sorriso cansado para me cumprimentar. A pele estava fria e anêmica, a respiração era superficial, forçada, com o odor doce e ácido de morte iminente. Embora os olhos estivessem perdendo

128 • UMA IGREJA CHAMADA *TOV*

o brilho, ela ouviu a palavra de Deus ansiosamente, com prazer, apegando-se a cada sílaba. "Você gostaria de tomar a Ceia do Senhor?", perguntei. E ela sussurrou que sim.

Quando Senkbeil ofereceu o pão e o vinho, símbolos da graça de Deus, logo percebeu que a fraqueza física de Roberta tornaria difícil recebê-los.

Como poderia dar a Ceia a alguém que não conseguia mais levantar a cabeça? Cuidadosamente, sentei-me na beira da cama, passei o braço por trás dos ombros frágeis e magros de Roberta e levantei seu corpo, leve como uma pena, segurando-a como se fosse um bebê esquelético. Com minha outra mão, coloquei em sua boca as dádivas que seu Salvador morreu para lhe conceder: o pão do céu aqui na terra, o cálice da salvação derramado por todo o mundo.

"Tome e coma, este é o corpo de Cristo entregue por você", eu disse. "Tome e beba, este é o sangue de Cristo derramado por você para o perdão de seus pecados." Terminei com uma bênção, fazendo o sinal da cruz com meu polegar sobre sua testa pálida: "O corpo e o sangue de nosso Senhor Jesus Cristo a fortalecem e preservam de corpo e alma para a vida eterna. Vá na paz de Cristo".

E ela foi. Não exatamente naquele momento, mas poucos dias depois. [...]

Naquele dia, no apartamento de Roberta, enquanto eu fechava a bolsa em que havia trazido a Ceia e me despedia de familiares e amigos que ali estavam em vigília com ela, um deles me disse, em tom de admiração: "Hoje você teve a morte em suas mãos".

Não lembro bem como respondi. Mas deveria ter dito: "Talvez. Mas hoje também tive em minhas mãos vida para oferecer".[1]

Exatamente. Aquilo que a igreja *tov* tem a oferecer é a graça que dá vida a outros. Como um pastor que oferece a graça do corpo e do sangue de Jesus pode, então, abusar de mulheres, humilhar os membros de sua equipe com palavras cáusticas ou explorar aqueles que ele foi chamado a servir? Não faz nenhum sentido. Uma igreja que se deforma e desenvolve uma cultura autoritária, que produz medo e exploração, não tem mais como oferecer a graça da vida, mas apenas os ossos da morte. Para resistir a essa cultura tóxica, temos de entender como construir e manter uma cultura vivificadora caracterizada pela graça.

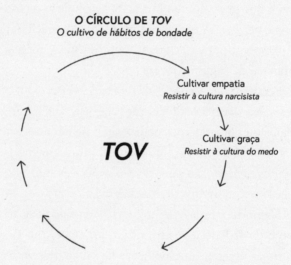

Sete características de uma cultura repleta de graça

Leia esta definição lentamente: Uma cultura repleta de graça começa com perdão, toma a forma de liberdade e resiste ao medo, tudo isso porque ela sabe que o plano de Deus para a igreja é o amor. O apóstolo João capta essa realidade perfeitamente em sua primeira carta:

Esse amor não tem medo, pois o perfeito amor afasta todo medo. Se temos medo, é porque tememos o castigo, e isso mostra que ainda não experimentamos plenamente o amor.

1João 4.18

Nas palavras do estudioso do Novo Testamento John M. G. Barclay, "'Graça' é um conceito multifacetado, e a melhor forma de abordá-lo é pela categoria de dádiva. [...] 'Dádiva' denota o âmbito da voluntariedade, das relações pessoais, caracterizado pela boa vontade presente na concessão de benefício ou favor, que gera alguma forma de retribuição recíproca voluntária e necessária para a continuidade do relacionamento".[2]

Uma cultura caracterizada por dádivas, repleta de graça, funciona da seguinte forma.

Primeiro, *alguém tem algo a doar*. Nesse caso, o doador é Deus, e a dádiva é a redenção. A graça não é algo que merecemos ou que podemos obter com base em nossa condição ou nossas realizações. Em uma cultura fundamentada na graça, hábitos de doar são perceptíveis, pois sabemos que somos recebedores da dádiva divina da graça.

Segundo, *nosso Deus* tov *escolhe nos dar essa redenção*. No cerne da redenção se encontra o *perdão*, termo ilustrado por algumas imagens maravilhosas na Bíblia. Por vezes, o pecado é visto como um *fardo* que levamos, como uma mochila cheia de pedras, quase impossível de carregar, que produz irritação constante e tem peso opressor. O perdão permite que nos desvencilhemos do peso ou que Deus o tire de nós e o lance fora. Em outras ocasiões, o perdão é comparado a *cancelar uma dívida*. Imagine uma dívida de cartão de crédito que vai muito além de nossa renda; os juros que se acumulam rapidamente são lembrança constante de que talvez nunca tenhamos

IGREJAS *TOV* CULTIVAM GRAÇA • 131

recursos suficientes para quitá-la. Paulo diz que, na cruz, Deus acabou com nosso endividamento: "Ele cancelou o registro de acusações contra nós, removendo-o e pregando-o na cruz" (Cl 2.14). Em uma igreja chamada *tov*, quando a graça forma a cultura, o perdão flui livremente entre Deus e seu povo e entre uma pessoa e outra. Quando se desenvolve uma cultura autoritária, que produz medo, a graça logo é abandonada, e o perdão é praticamente esquecido.

Terceiro, *dar e receber a dádiva da graça cria um vínculo*, um relacionamento pessoal entre o doador (Deus) e os recebedores (nós). Também cria um vínculo entre as pessoas na igreja, à medida que concedem graça a outros e a recebem. Em pouco tempo, vínculos de graça recíproca se formam e começam a atuar.

Quarto, *o recebedor responde com ação*. Quando a resposta fundamental para a dádiva divina da graça é gratidão, o recebedor retribui com expressões ativas de gratidão, louvor e adoração, amor e obediência, confiança e serviço. A vida cristã em sua totalidade é uma resposta à dádiva da graça que nosso Deus *tov* nos concedeu.

Quinto, *nosso Deus que concede dádivas se torna Pai de uma multidão de irmãos e irmãs*. Essa observação requer uma discussão mais extensa, pois é o alicerce para que estabeleçamos uma cultura caracterizada pela graça. Tornamo-nos uma família fundamentada em dádivas, uma família de doadores e recebedores de graça, não apenas os pastores e líderes, mas cada um de nós. A dádiva da graça não define uma hierarquia de relações de poder, em que algumas pessoas são consideradas superiores a outras. Ela nos torna irmãos uns dos outros. A dádiva bondosa da *tov* de Deus faz com que todos nós sejamos membros igualmente amados e valorizados do corpo de Cristo.

132 • UMA IGREJA CHAMADA *TOV*

Vale a pena repetir: Em uma igreja, ninguém é maior que o outro. Somente Jesus Cristo é o cabeça. Assim como ninguém merece inclusão nessa nova família de irmãos, nenhuma irmã é mais irmã que a outra, e nenhum irmão é mais irmão que o outro. Todos são irmãos, e irmãos têm a mesma condição. Ademais, nenhum irmão e nenhuma irmã é "pai" ou "mãe". Como Jesus disse, há somente um Pai (Mt 23.8-9).

A verdadeira igualdade entre irmãos tem implicações gigantescas para a eliminação de culturas autoritárias e que produzem medo. A igualdade debaixo de Deus Pai e de Cristo, seu Filho, acaba com toda hierarquia de superioridade e classe. Os termos *irmãos e irmãs* reforçam o fato de que "todos [...] são um em Cristo" (Gl 3.28).

Sexto, *a graça é um tipo invertido de poder, que transforma nosso relacionamento de irmãos e irmãs em uma próspera realidade familiar.* A dádiva da graça muda nossa condição; deixamos de ser inimigos de Deus e desconhecidos uns dos outros e nos tornamos membros de uma grande família repleta de graça. Deixar que a graça flua livremente tem poder de nos tornar pessoas que amam umas às outras em um grau que jamais imaginamos ser possível.

Sétimo, *o Espírito Santo é o agente ativo que nos transforma em amigos e família em lugar de inimigos e desconhecidos.* Não podemos fazê-lo sozinhos; não temos competência nem capacidade. Uma de minhas frases prediletas é do estudioso do Novo Testamento James D. G. Dunn, que observou certa vez que o Espírito Santo "transcende a capacidade humana e transforma a incapacidade humana".[3]

Reflitamos sobre isso por um momento: Não somos capazes de formar nossas igrejas para que sejam culturas *tov*, repletas de graças, que priorizam as pessoas. Antes, trazemos conosco

IGREJAS *TOV* CULTIVAM GRAÇA • 133

diversas incapacidades e incompatibilidades. Por exemplo, alguns de nós são introvertidos, enquanto outros são vigorosos extrovertidos, o que dificulta, portanto, as interações. Temos origens étnicas distintas e não confiamos uns nos outros. Como homens e mulheres, nem sempre nos entendemos e nos valorizamos mutuamente. Gostamos de prestígio, hierarquia e poder e temos dificuldade de tratar uns aos outros com graça e amor. É verdade que também temos várias capacidades, mas ainda precisamos que o Espírito Santo as transcenda e nos transforme em uma próspera família em que priorizamos pessoas e oferecemos graça.

Requisitos para uma cultura eclesiástica moldada pela graça

Nada fica mais evidente no trabalho missionário do apóstolo Paulo que sua determinação de não apenas ver pessoas serem salvas, mas também de ensinar os salvos a se relacionar bem uns com os outros. Especialmente aqueles que não circulavam nos mesmos meios. Pode-se dizer que sua missão era expandir a nação de Israel, um povo extremamente coeso, para que se tornasse um povo multiétnico. Em retrospectiva, Paulo talvez quisesse adaptar uma declaração conhecida de C. S. Lewis: "Todos dizem que o perdão é uma ideia linda, até que tenham algo a perdoar".[4] De modo semelhante, talvez nos pareça que unir pessoas díspares na família de Deus é uma ideia linda, até que tentemos fazê-lo.

Não é de surpreender que a formação de uma família de irmãos baseada na graça exija *confiança*, a cola invisível que une as pessoas. Poder e medo têm a capacidade de solapar a confiança; a graça, em contrapartida, produz confiança. Sem confiança, não é possível existir verdadeira irmandade.

Confiar em alguém é crer naquela pessoa de maneiras que tornam o mundo seguro. Infelizmente, em culturas autoritárias baseadas em medo, a confiança se desfaz e torna quase impossível viver como irmãos. Quando um grupo de irmãos chamado igreja tem relacionamentos de desconfiança, a família se desintegra em panelinhas e grupos de interesse.

Relacionamentos de confiança são construídos sobre um alicerce de *reciprocidade* em que temos de dar a fim de receber. Na dinâmica em que um irmão contribui com a família e outro recebe essa dádiva, forma-se uma sociedade de reciprocidade, uma troca mútua de dádivas. A igreja é isso. Culturas eclesiásticas autoritárias e que produzem medo são vias de mão única: a confiança flui em direção ao pastor, aos líderes, aos poderosos. Em uma igreja fundamentada na graça, porém, a liberdade flui livremente, e as dádivas também.

Ao desenvolver nosso tema um ponto de cada vez, vemos que quando todos os irmãos se consideram recebedores da dádiva de Deus, quando nos permitimos ser transformados pela graça de Deus em participantes em pé de igualdade, que amam uns aos outros e confiam uns nos outros, forma-se nada menos que uma cultura de *liberdade* baseada na graça.

Na Bíblia, a liberdade é *de* algo (do pecado e de suas terríveis expressões) e *para algo* (tornar-nos os filhos e irmãos e irmãs que Deus planejou e deseja). A liberdade cria confiança, da mesma forma que a confiança cria liberdade. Mais uma vez, reciprocidade.

Uma cultura do medo sufoca a liberdade com legalismo, autoritarismo, prestígio e relacionamentos baseados em aprovação. Isso não é liberdade, e não é amor. "O perfeito amor afasta todo medo" (1Jo 4.18). Quando o medo prevalece em uma igreja, não há amor verdadeiro.

O último elemento em uma cultura eclesiástica moldada pela graça é o *espaço*: espaço para aprender e cometer erros, espaço para crescer e perdoar. Em uma cultura autoritária que produz medo, erros podem desencadear abuso verbal e levar a rebaixamento ou humilhação pública. O medo pode sobrepujar ou solapar a virtude cristã do perdão. Em uma cultura formada pela graça, há espaço para que os irmãos descubram seus dons e sua vocação, espaço (e graça) para que os irmãos cometam erros no processo de crescimento em seus dons, e espaço para perdoar os outros por seus erros. Atos persistentes de graça criam uma cultura *tov* repleta de graça.

8

Igrejas *tov* cultivam priorização de pessoas

No Círculo de *Tov*, encontramos igrejas que cultivam empatia, compaixão e graça. Esses valores, por sua vez, se tornam o alicerce para cultivar uma cultura de *priorização de pessoas* na igreja. Uma igreja que prioriza pessoas *resiste* à ideia de que a igreja é, acima de tudo, uma instituição.

Ver a igreja principalmente como instituição cria uma cultura em que empatia, compaixão e graça podem ser empurradas para as margens em favor de determinada teologia ou conjunto de convicções. É possível que essa dinâmica não seja intencional, mas, à medida que organizações crescem, existe a tendência de "infiltração institucional", em que as necessidades da organização — que podem ser insensíveis, equivocadas e qualquer coisa, menos cheias de graça — começam a se tornar maiores que as necessidades das *pessoas* da organização. Quando isso acontece, as pessoas são anuladas.

A igreja como instituição pode se tornar coerciva, mas uma igreja que prioriza pessoas as trata com o mais elevado grau de dignidade, respeito e integridade.

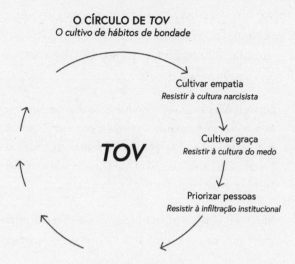

Na memória recente, é possível que ninguém exemplifique uma perspectiva de priorizar pessoas e as virtudes de dignidade, respeito e integridade mais que Fred Rogers. É isso mesmo, o amigo de todos no programa *Mister Rogers' Neighborhood* [Vizinhança do Senhor Rogers]. Ele criou uma cultura de *tov* no âmbito da televisão aberta, um ambiente supostamente bem mais difícil que o de uma igreja. E, no entanto, ele manteve essa cultura de bondade por mais de três décadas, mesmo enquanto os valores sociais da cultura americana se alteravam ao seu redor.

Quando criança, Fred Rogers sofreu *bullying* e exclusão e, portanto, tornou-se um adulto capaz de entender com empatia o que é sofrer desprezo e ter dificuldade de enturmar-se. Combinou o preparo para o ministério e a formação em música e desenvolvimento infantil com a fé cristã e com os valores adquiridos na família de generosidade, gentileza, tolerância e empatia a fim de criar um programa de televisão

138 • UMA IGREJA CHAMADA *TOV*

ímpar, que focalizava a vida emocional, moral, espiritual e intelectual das crianças.

Ao falar diante do Congresso dos Estados Unidos, Fred Rogers explicou sua missão:

> Ofereço uma expressão de cuidado diariamente a cada criança, para ajudá-la e entender que ela é singular. Termino o programa com as palavras: "Ao ser você mesma, você tornou esse dia especial. Não existe ninguém, no mundo inteiro, igual a você, e eu gosto de você exatamente do jeito que você é".[1]

Maxwell King, em sua biografia de Fred Rogers, *The Good Neighbor* [O bom vizinho], descreve o forte senso de autodisciplina no centro da vida do sr. Rogers:

> Fred Rogers se levantava todos os dias entre 4h30 e 5h30 para ler a Bíblia e se preparar para o dia, antes de ir à Associação Atlética de Pittsburgh para nadar. No entanto, o preparo de Rogers era mais espiritual que profissional: ele estudava passagens de interesse na Bíblia e, depois, visualizava quem ele veria naquele dia, a fim de que pudesse estar pronto para ser o mais sensível e atencioso possível. As orações de Fred nesses períodos de reflexão matinal não eram por sucesso ou realização, mas por bondade de coração para ser a melhor pessoa possível em cada uma de suas interações ao longo daquele dia.[2]

Muitos que conheciam Fred Rogers diziam que ele era, por trás de portas fechadas e no estúdio, a mesma pessoa que era em seu programa. Não havia nenhuma duplicidade em seu caráter. Tom Junod, repórter conhecidamente mordaz da revista *Esquire* que, com frequência, lascava ou mesmo despedaçava a reputação de celebridades, disse a respeito de Fred Rogers: "O mais admirável em Fred foi observar que ele era exatamente a mesma pessoa que é na televisão. Não havia nenhum *show*, nenhum fingimento".[3] Elizabeth Seamans, que trabalhou com Rogers durante vários anos, observou: "Ele não era orgulhoso nem arrogante. Nunca desvalorizava ninguém. Tinha suas falhas, mas era, de verdade, um homem extraordinário e um homem bom".[4]

Pode ser tentador considerar Fred Rogers uma exceção em virtude de sua personalidade tão distintiva, tão contracultural e até mesmo inesperada. Mas aquilo que tornava Fred Rogers extraordinário não está fora de nosso alcance. Como Maxwell King observa, "Fred Rogers nunca, jamais, deixou a urgência do trabalho ou da vida impedi-lo de se concentrar naquilo que, para ele, eram valores humanos fundamentais: integridade, respeito, responsabilidade, imparcialidade, compaixão e [...] bondade".[5] Em outras palavras, *priorizar pessoas*. Ele simplesmente colocava *tov* em prática e, de modo obstinado e constante, continuava a fazê-lo. Por certo, essa via está aberta para todos nós.

Tov sempre lança raízes primeiro no coração de indivíduos que, então, trabalham junto com outros que pensam da mesma forma para criar uma cultura de bondade.

A formação de uma igreja que prioriza pessoas

Em agosto de 2019, Mitch Randall, pastor ordenado da Convenção Batista do Sul e diretor executivo do site EthicsDaily.com, exortou a igreja a se alinhar com a sabedoria do mercado de trabalho, em que são especificadas várias formas de malversação. Randall desejava criar uma definição de malversação *teológica*. Um de seus pontos principais trata da questão de pessoas *versus* instituições e diretrizes:

140 • UMA IGREJA CHAMADA *TOV*

Crenças que atribuem mais valor à instituição da igreja que à humanidade das vítimas não captam o ensino central do evangelho. Em outras palavras, quando o amor a Deus e ao próximo é colocado de lado a fim de preservar reputações institucionais e profissionais, então, por definição, isso é malversação teológica.[6]

Exatamente! Uma cultura de bondade tem de procurar conformar nossa vida ao exemplo de Cristo ao se concentrar em pessoas, e não em instituições.

Randall define malversação teológica como "perversão do evangelho com base em uma filosofia hermenêutica equivocada construída sobre patriarcalismo e misoginia que protege a reputação dos ministros, da igreja, de denominações e instituições e menospreza os direitos das vítimas, causando danos físicos, mentais, emocionais e espirituais".[7] Em termos claros, a malversação teológica pode ser resumida nos seguintes pontos:

1. Perverte o evangelho de *tov*.
2. Seu ponto de partida é androcêntrico e promove atitudes contrárias às mulheres.
3. Protege a instituição à custa de pessoas.
4. Protege os líderes da instituição.
5. Viola direitos humanos.
6. Prejudica pessoas.

No cerne da malversação teológica se encontra a prática de não tratar todas as pessoas como portadoras da imagem de Deus, o que fere o âmago de nossa fé cristã.

O que podemos fazer, então, para resistir à infiltração institucional e à malversação teológica? O que podemos fazer para resgatar uma cultura de priorização de pessoas em nossas igrejas? Gostaríamos de propor cinco práticas essenciais:

(1) tratar as pessoas como pessoas, (2) acolher outros na comunidade, (3) reconhecer que todas as pessoas são criadas à imagem de Deus, (4) tratar as pessoas como irmãs e irmãos, e (5) desenvolver o olhar de Jesus.

Tratar as pessoas como pessoas

Permita-me (Scot) dar um exemplo pessoal. Todos os membros de nossa família sentam-se juntos na igreja: Kris e eu, Laura e Mark, Lukas e Annika com Aksel e Finley. Na nossa frente, ficam Lesley e Gil, com frequência Paula e Kristin, às vezes Roger, às vezes April. No fim da nossa fileira, sentam-se Pat, irmã de Kris, e, às vezes, Laurie. Perto de nós, sentam-se Alice, uma professora e deã de seminário de oitenta e poucos anos, e seu marido Randy, de noventa e poucos, ex-missionário e pastor que parece conhecer o nome de cada um dos membros da igreja e que costuma dizer que tem orado por nós. Quando Kris e eu não podemos ir ao culto porque estamos viajando ou dando alguma palestra, Randy sempre diz que ficará em oração por nós. Quando Randy e Alice não vieram ao culto dois domingos em seguida, tranquilizei Rosalie, outra senhora que vem todos os domingos, ao lhe informar que eles tinham viajado para visitar familiares. Poderia oferecer muitos outros exemplos das ligações extremamente importantes entre as pessoas de nossa igreja, mas deu para ter uma ideia, não?

Para nossa família, as pessoas são a essência da igreja. Não sei qual é a frequência semanal nos cultos. Às vezes, o salão está cheio, outras vezes não. Crianças correm de um lado para o outro e fazem barulho, mas crianças são barulhentas e pessoas são inquietas. Quando as crianças vão para suas classes depois da abertura, parece um desfile que desperta sorrisos em todos os adultos. Essas crianças estão crescendo diante de nossos olhos. Quase todos conhecem uns aos outros. Quando Kris e eu não vamos no domingo, sentimos falta de pessoas específicas, como Ethan, com quem eu talvez quisesse conversar sobre Flannery O'Connor, ou Willa Cather. Ou Andrew, ou Laurie, ou Otto, ou Elana e Anthony e seu filho, Eli.

Não estamos dizendo que igrejas pequenas são lindas e igrejas grandes são horríveis. Não é nisso que acreditamos. Algumas megaigrejas são formadas por centenas de pequenos grupos ou igrejas nos lares que se reúnem aos domingos, ou uma vez por mês. Algumas megaigrejas se esforçam com grande afinco para formar um ministério de priorização de pessoas ao incentivar todos a participar de pequenos grupos em que possam conhecer outros e ser conhecidos. Ainda assim, temos de reconhecer que megaigrejas precisam ser mais *deliberadas* na criação de uma cultura de priorização de pessoas, pois, do contrário, o *éthos* da igreja pode se tornar, rapidamente, uma cultura de "venha me ouvir pregar" ou "venha ouvir a música".

O Círculo de *Tov* começa quando uma igreja vê pessoas como pessoas e as trata como pessoas ao cuidar delas para que se tornem quem Deus as criou para ser. Pessoas com nome, histórico de vida e narrativa. Pessoas que estão bem, e pessoas que não estão. Pessoas que estão se recuperando de abuso da igreja. Pessoas que passaram por cirurgias e enfermidades. Pessoas que estão envelhecendo. Pessoas ricas, pobres e em vários pontos entre os dois extremos. Pessoas feridas que precisam de cura, pessoas desempregadas ou com trabalho insuficiente, pessoas que precisam de ânimo ou de auxílio tangível. A essência de tratar pessoas como pessoas pode ser resumida em onze palavras simples de Jesus: "Façam aos outros o que vocês desejam que eles lhes façam" (Lc 6.31).

Acolher outros na comunidade

Não é difícil pensar na igreja como pessoas, mas, por vezes, é um desafio e tanto colocar essa ideia plenamente em prática. Essas pessoas não vivem em isolamento; vivem em relacionamentos. E relacionamentos dizem respeito a *pertencer*.

Quer reconheçam quer não, todos desejam pertencer. Todos desejam se sentir valorizados. No centro da cultura eclesiástica de priorização das pessoas sempre estará o compromisso de acolher outros na comunidade. Esse acolhimento começa com a construção de relacionamentos: aprender o nome das pessoas, incentivá-las a contar sua história, compartilhar nossa história com elas, inclui-las na vida da família da igreja (dentro e fora das paredes do edifício da igreja), convidá-las para se tornar parte da comunidade da igreja.

Acolher outros na comunidade pode significar recebê-los em nosso lar e fazer refeições com eles. Eis um exemplo de um casal, Kathy Fletcher e David Simpson, que se tornou agentes de *tov* ao reunir pessoas ao redor de sua mesa de jantar.

O filho de Kathy e David, que estuda em uma escola pública em Washington, DC, tinha alguns amigos cujas famílias se encontravam em situação econômica difícil e começou a convidá-los para ir a sua casa. Um amigo convidou outros amigos cujas famílias também estavam em dificuldades e, em pouco tempo, duas dúzias de crianças iam jantar na casa de Kathy e David uma vez por semana. Logo, adultos também começaram a vir, e a mesa da generosidade se tornou mesa de cura para todos.[8]

Bill Milliken, fundador da organização Communities in Schools [Comunidades em Escolas], dedicada a oferecer dentro de escolas públicas recursos para a comunidade, foi jantar com eles uma noite. Quando viu os relacionamentos que Kathy Fletcher e David Simpson haviam construído e tudo o que estavam fazendo, disse: "Trabalho nessa área há cinquenta anos [...] e nunca vi um programa transformar uma vida. Apenas relacionamentos transformam vidas".[9] Em outra ocasião, ele observou: "Um bom programa apenas cria o ambiente para a formação de relacionamentos saudáveis".[10]

Leva tempo para construir relacionamentos e, por vezes, leva tempo para as pessoas se integrarem plenamente em um verdadeiro Círculo de *Tov* em uma igreja. Com o tempo, aprendemos o nome uns dos outros; com o tempo, descobrimos a história uns dos outros; com o tempo, contamos nossa própria história; com o tempo, tornamo-nos verdadeiros irmãos e irmãs em Cristo; com o tempo, descobrimos o jeito de ser uns dos outros e levamos uns aos outros em consideração em nossas decisões. É preciso tempo para que um grupo de desconhecidos se transforme em uma família. Mas, uma vez que alcançamos esse nível de compromisso, é impossível *não* tratar as pessoas como pessoas. Isso também significa que *percebemos* quando outros não as tratam como pessoas.

Reconhecer que todas as pessoas foram criadas à imagem de Deus

Como cristãos, sabemos que Deus criou cada pessoa para que seja portadora de sua imagem. Deus disse: "Façamos o ser humano à nossa imagem; ele será semelhante a nós" (Gn 1.26). O plano de Deus para nós é acompanhado de uma declaração de seu propósito: exercer domínio sobre aquilo que Deus criou. Nosso papel como portadores da imagem de Deus é governar, como representantes de Deus, o mundo que ele criou. Essa é a missão de cada um de nós.

O que significa ser portador da imagem divina? O apóstolo Paulo diz a respeito de Jesus: "O Filho é a imagem do Deus invisível" (Cl 1.15). Em outras palavras, Jesus Cristo é *a única verdadeira imagem* de Deus. Isso também significa que, quando Deus criou os seres humanos, seu modelo foi Jesus. E essa é a melhor notícia *tov* de todas: estamos sendo transformados de nossa pecaminosidade para a imagem de Cristo. Paulo deixa essa verdade clara três vezes, de diferentes maneiras, para que não passe despercebida:

- Romanos 8.29: "Pois Deus conheceu de antemão os seus e os predestinou para se tornarem semelhantes à imagem de seu Filho", ou "conformes à imagem de seu Filho" (NVI).
- 2Coríntios 3.18: "Portanto, todos nós, dos quais o véu foi removido, podemos ver e refletir a glória do Senhor, e o Senhor, que é o Espírito, nos transforma gradativamente à sua imagem gloriosa, deixando-nos cada vez mais parecidos com ele".
- 2Coríntios 4.4: "O deus deste mundo cegou a mente dos que não creem, para que não consigam ver a luz das boas-novas, não entendendo esta mensagem a respeito da glória de Cristo, que é a imagem de Deus".

Tratamos pessoas como pessoas, e não como "unidades contribuintes", pelo seguinte motivo: cada pessoa com a qual deparamos é planejada por Deus para se parecer com Cristo. Diante disso, devemos imenso respeito e honra a todos *em razão de quem eles são*, mesmo que a imagem de Deus neles tenha sido manchada ou encoberta por escolhas pecaminosas. Reconhecer que todas as pessoas são criadas à imagem de Deus

146 • UMA IGREJA CHAMADA *TOV*

significa sempre ver seu *potencial*, e não apenas sua atual condição pecadora. Como Paulo disse aos coríntios: "Alguns de vocês eram assim, mas foram purificados e santificados, declarados justos diante de Deus no nome do Senhor Jesus Cristo e pelo Espírito de nosso Deus" (1Co 6.11). Impressiono-me repetidamente com a coragem de Paulo de dizer essas palavras a respeito (imagine só) dos coríntios!

Uma cultura de bondade sempre confronta o pecado como tal. (Trataremos dessa questão em mais detalhes em um capítulo posterior sobre dizer a verdade e desenvolver uma cultura de veracidade.) E uma cultura de bondade sempre procura conduzir as pessoas ao verdadeiro arrependimento. No entanto, mesmo que confrontemos o pecado na igreja, não desejamos perder de vista a *gloriosa imagem de Deus* inerente a cada indivíduo.

Tratar outros como irmãos

A expressão mais comum do Novo Testamento para crentes em Cristo não é, de maneira nenhuma, *igreja*; é *irmãos*. Quando Paulo enviou o escravo fugido Onésimo de volta para seu senhor, Filemom, escreveu para Filemom: "Ele já não é um escravo para você. É mais que um escravo: é um *irmão* amado" (Fm 1.16, grifo nosso). O resultado desejado de tratar as pessoas como pessoas é começar a vê-las como irmãs e irmãos.

A perspectiva de Paulo era extraordinariamente progressista para sua época. De acordo com ele, dentro do corpo de Cristo não devemos mais considerar uns aos outros conforme a condição social, étnica ou de gênero. "Não há mais judeu nem gentio, escravo nem livre, homem nem mulher, pois todos vocês são um em Cristo Jesus" (Gl 3.28), isto é, somos todos irmãos e irmãs.

Família é, em essência, um conjunto de relacionamentos, e nossos relacionamentos no Círculo de *Tov* se fundamentam no fato de que somos todos irmãos e irmãs unidos em Cristo. Em uma cultura de bondade, devemos honrar uns aos outros como pessoas porque sabemos quem somos (portadores da imagem de Deus) e a quem pertencemos. Somos irmãos em Cristo.

A fim de desenvolver uma cultura de *tov*, precisamos resistir a tudo o que não trata as pessoas como irmãs e irmãos.

Mas, afinal, *como* tratamos irmãos?

Talvez você não tenha irmãos, ou talvez não tenha um relacionamento muito bom com eles. Estamos falando aqui, porém, da forma que irmãos interagem em um ambiente familiar saudável. No mínimo, acontece o seguinte:

Irmãos se importam uns com os outros.

Irmãos cuidam uns dos outros.

Irmãos protegem uns aos outros.

Irmãos acreditam uns nos outros.

Irmãos confiam uns nos outros.

Irmãos veem as virtudes e os defeitos uns dos outros e, ainda assim, amam uns aos outros.

Igrejas que têm uma cultura de bondade fazem o que é certo porque amam as pessoas e desejam apenas o que é melhor para elas.

Desenvolver o olhar de Jesus

Quando Jesus olhava para as pessoas, enxergava além das aparências e via o coração; enxergava além das afetações e das fachadas autoprotetoras e ia direto a suas verdadeiras necessidades. Os Evangelhos usam, com frequência, o termo *compaixão*, que significa comiserar, demonstrar piedade, estar

148 • UMA IGREJA CHAMADA *TOV*

cheio de misericórdia, para descrever a forma que Jesus via as pessoas (Mc 9.36; 14.14; Mc 1.41). O termo *compaixão* descreve um órgão interior que se remexe em dor quando vê sofrimento humano. Como os autores dos Evangelhos e os apóstolos sabiam que Jesus era cheio de compaixão? Há somente três opções: ele lhes falou, seu rosto o mostrava ou as lágrimas corriam. As duas últimas opções são as mais prováveis. No entanto, quando Jesus se comovia diante dos necessitados não se limitava a "sentir-se mal" com as circunstâncias deles; sua reação emocional levava a *ação*. Cada vez que os Evangelhos descrevem a compaixão de Jesus, também dizem o que ele *fez*: ele curou, ele purificou, ele ensinou, ele pastoreou.

O apóstolo Paulo tinha sensibilidade parecida por outros, embora muitos hoje em dia o entendam mal nesse aspecto. Imaginam Paulo como um *workaholic* autoritário, ávido por poder e dinheiro, contrário às mulheres e a favor da escravidão, que reunia grupos de novos cristãos, definia algumas regras para eles, embarcava para o próximo lugar, ouvia relatos de absurdos que ocorriam nesses grupos e apressava-se em lhes escrever cartas enfurecidas em que dizia a todos como deviam viver. Tudo bem que esse é um exagero, mas não é muito diferente das críticas feitas por alguns hoje em dia contra o cristianismo. Leia, agora, 2Coríntios 2.12-13 e avalie se as palavras desses versículos se alinham com o conceito negativo de Paulo apresentado acima:

> Quando cheguei à cidade de Trôade para anunciar as boas-novas de Cristo, o Senhor me abriu uma porta de oportunidade. Contudo, não tive paz em meu espírito, pois meu querido irmão Tito ainda não havia chegado com notícias de vocês. Assim, despedi-me dos irmãos dali e fui à Macedônia para procurá-lo.

IGREJAS *TOV* CULTIVAM PRIORIZAÇÃO DE PESSOAS • 149

Vemos aqui um homem com amor tão intenso pelos coríntios (que, pelo menos na mente de Paulo, não tinham esse mesmo amor por ele) e tão preocupado com Tito, seu protegido, que parou tudo o que estava fazendo e só conseguiu prosseguir depois que encontrou Tito e foi informado da situação dos coríntios. Paula Gooder, administradora da Catedral de São Paulo, em Londres, diz: "Paulo, o maior evangelista de todos os tempos, deixou passar a oportunidade de pregar o evangelho por causa da ausência de Tito".[11] E Tito não era apenas "seu amigo", mas seu "querido irmão". Priorizar as pessoas.

Observe agora o foco da missão de Paulo para a igreja em Colossos, constituída quase inteiramente de pessoas que ele não conhecia! Destacamos em itálico os trechos que se referem a pessoas.

Portanto, proclamamos a Cristo [*a outros*], advertindo a *todos* e ensinando *a cada um* com toda a sabedoria, para apresentá-*los* maduros em Cristo. Por isso [*eu*] trabalho e luto com tanto esforço, na dependência de seu poder que atua em *mim*. [*Eu*] quero que [*vocês*] saibam quantas lutas [*eu*] tenho enfrentado por causa de *vocês* e *dos que estão em Laodiceia*, e por *muitos* que não me conhecem pessoalmente. Que *eles* sejam encorajados e unidos por fortes laços de amor e [que *eles*] tenham plena certeza de que entendem o segredo de Deus, que é o próprio Cristo.

Colossenses 1.28—2.2

Angustiado, encorajador, promovendo a união "por fortes laços de amor". Sem dúvida Paulo era compassivo e priorizava as pessoas. Esse era o alicerce de todo o seu ministério.

Crenças e comportamentos são estreitamente ligados ao pertencimento mútuo. A visão do Novo Testamento nos *afasta* do individualismo e nos *aproxima* de relacionamentos de compromisso com outras pessoas. A visão bíblica de *tov* diz respeito, em essência, a relacionamentos com outros, a demonstrar *bondade* (*tov*) uns pelos outros. Uma cultura que prioriza pessoas as trata instintivamente como portadoras da imagem divina e como irmãos e irmãs.

Os relacionamentos dentro do Círculo de *Tov* são moldados por uma das palavras mais belas da Bíblia: *verdade*. A verdade é tão fundamental para *tov* que dedicaremos o capítulo seguinte a desdobrar seu significado. Uma vez que as culturas eclesiásticas tóxicas costumam falhar no tocante à veracidade, precisamos considerar esse aspecto com atenção.

9
Igrejas *tov* cultivam veracidade

Se você quer ouvir a verdade nua e crua a respeito de si mesmo, entre em uma agitada sala de primeiro ano do ensino fundamental. Todos os dias, os alunos dizem para mim (Laura) com grande indiferença, mas total honestidade, coisas como:

"Professora, tem uma coisa verde grudada no seu dente".
"Você está com cara de cansada hoje".
"Gostei mais do jeito que você arrumou seu cabelo ontem".
"Você não fala coisa com coisa".
"Por que você está suada?".
"Dá pra perceber que você não é loira de verdade".
"Seus olhos estão diferentes. VOCÊ ESTÁ SEM MAQUIAGEM?".

E o comentário que as mulheres mais gostam de ouvir:

"Parece que tem um bebê na sua barriga" (quando não tem).

Meus alunos do primeiro ano também relatam em detalhes o que acontece na casa deles:

152 • UMA IGREJA CHAMADA *TOV*

"Meu pai bebe cerveja. Um monte".

"Minha mãe é bem mais velha que meu pai".

"Quando meus pais brigam, os vizinhos sempre chamam a polícia".

Essa sinceridade toda, porém, tem uma vantagem: não preciso tentar decifrar o que meus alunos estão pensando. Eles dizem a verdade a respeito de mim, de si mesmos e da vida em família, e nem tenho de perguntar. Todos os dias, oferecem observações diretas, sem que ninguém peça:

"Essa história foi meio chata".

"Se você parar de falar, a gente consegue terminar a lição".

Crianças são verazes por natureza. Temos muito que aprender com a tendência natural das crianças mais novas de dizer a verdade. Será que a veracidade faz parte daquilo a que Jesus estava se referindo quando declarou: "Eu lhes digo a verdade: a menos que vocês se convertam e se tornem como crianças, jamais entrarão no reino dos céus" (Mt 18.3)?

A formação de uma cultura de veracidade

A Bíblia nos exorta a conhecer a verdade, dizer a verdade e viver na verdade. Não apenas isso, mas também professamos que nossa fé é a verdade. "Verdade" é um dos termos prediletos dos autores do Novo Testamento para descrever Jesus, o evangelho, a salvação e o modo de vida cristão. Paulo diz a respeito de "Deus, nosso Salvador" que seu "desejo é que todos sejam salvos e conheçam a verdade" (1Tm 2.3-4). Mais adiante, Paulo acrescenta a respeito da igreja: "Ela é a igreja do Deus vivo, coluna e alicerce da verdade" (1Tm 3.15).

Logo, se Deus é a verdade, se nossa fé é a verdade e se devemos andar na verdade, tudo o que se opõe à verdade ou a solapa não vem de Deus e não tem lugar em uma cultura *tov* de veracidade. Não há espaço em uma igreja chamada *tov* para mentir, enganar, encobrir, suprimir, praticar *gaslighting* ou distorcer a narrativa. Todas essas coisas são tóxicas.

Dizer a verdade é, portanto, *quem somos* como cristãos. Quando não dizemos a verdade, negamos nossa *identidade* e nosso *chamado*.

O que é necessário para formar uma cultura de veracidade? Uma cultura desse tipo só pode ser formada por meio das disciplinas de conhecer a verdade, praticar a verdade e render-se à verdade. A veracidade também exige que *resistamos* ao que é falso e lutemos contra tudo o que não é veraz. Precisamos enfatizar a importância da verdade, pois muitas igrejas têm ficado muito aquém do ideal nesse quesito.

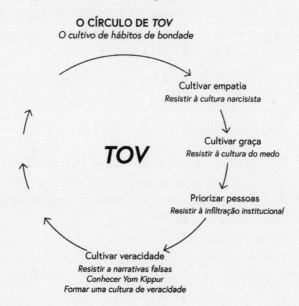

Conhecer a verdade

Se desejamos criar uma cultura de veracidade, primeiro temos de discernir *o que é a verdade*. O cristianismo faz a asserção espantosa de que a verdade não é apenas um ideal, um conjunto de ideias ou uma filosofia; antes, a verdade é *encarnada* na pessoa de Jesus Cristo. O Evangelho de João diz: "Ele era *cheio de graça e verdade*. E vimos sua glória, a glória do Filho único do Pai" (Jo 1.14, grifo nosso). Jesus afirmou acerca de si mesmo: "Eu sou o caminho, *a verdade* e a vida. Ninguém pode vir ao Pai senão por mim" (Jo 14.5).

Por vezes, é mais fácil citar versículos da Bíblia que assimilar a verdade contida neles, mas não podemos deixar passar despercebido o seguinte princípio a respeito de nossa fé: Deus é revelado em Jesus Cristo e, portanto, a forma que Jesus vive, aquilo que ele ensina e aquilo que ele faz são as únicas reais medidas da verdade.

C. S. Lewis apresenta uma bela ilustração de como a verdade a respeito de Jesus como medida mais elevada de bem penetra até o nível da alma. Em *O leão, a feiticeira e o guarda-roupa*, ele escreve:

> Fazendo sinais misteriosos, [o sr. Castor] juntou as crianças num grupo apertado e acrescentou, num leve sussurro:
>
> — Dizem que Aslam está a caminho; talvez até já tenha chegado.
>
> E aí aconteceu uma coisa muito engraçada. As crianças ainda não tinham ouvido falar de Aslam, mas no momento em que o castor pronunciou esse nome, todos se sentiram diferentes. Talvez isso já tenha acontecido a você em sonho, quando alguém lhe diz qualquer coisa que você não entende mas que, no sonho, parece ter um profundo significado, que pode transformar o sonho em pesadelo ou em algo maravilhoso, tão maravilhoso que você gostaria de sonhar sempre o mesmo sonho. Foi o que aconteceu.

Ao ouvirem o nome de Aslam, os meninos sentiram que dentro deles algo vibrava intensamente. Para Edmundo, foi uma sensação de horror e mistério. Pedro sentiu-se de repente cheio de coragem. Para Susana foi como se um aroma delicioso ou uma linda ária musical pairasse no ar. Lúcia sentiu-se como quem acorda na primeira manhã de férias ou no princípio do verão.[1]

Talvez você diga: "Tudo bem, concordo com você. Creio que Jesus é a verdade. E também creio que devemos viver na verdade. Mas como *conhecer* a verdade?". Jesus responde a essa pergunta em João 15—16 ao prenunciar a vinda do Espírito Santo, que ele chama "o Espírito da verdade" que "os conduzirá a toda a verdade" (Jo 15.26; 16.13). E, a respeito da revelação de Jesus como Filho de Deus, "por meio de seu batismo na água e pelo derramamento de seu sangue [na cruz]", o Espírito Santo, "que é a verdade, o confirma com seu testemunho" (1Jo 5.6). Portanto, é pelo poder do Espírito Santo que podemos conhecer e aprender a verdade. Também é pelo poder do Espírito que somos capazes de *praticar* a verdade.

Praticar a verdade

Uma vez que Jesus é a verdade, se ele permanece em nós, e nós permanecemos nele, a verdade se torna nosso modo de vida. E a verdade é acompanhada de amor, pois o amor "não se alegra com a injustiça, mas sim com a verdade" (1Co 13.6). Alegramo-nos com a verdade e nos entristecemos quando a verdade não é dita. Paulo escreve: "Mostramos que somos verdadeiros servos de Deus" quando "proclamamos a verdade fielmente" (2Co 6.4,7). Paulo também diz: "Abandonem a mentira e digam a verdade a seu próximo" (Ef 4.25). E nos exorta: "Mantenham sua posição, colocando o cinto da verdade" (Ef 6.14).

Dizer a verdade, portanto, faz parte da essência do modo de vida cristão. O apóstolo João retrata essa ideia com cores vívidas quando escreve: "Se afirmamos que temos comunhão com [Deus], mas vivemos na escuridão, mentimos e não praticamos a verdade" (1Jo 1.6). Viver na escuridão é o oposto de dizer a verdade. De modo semelhante, quando uma igreja escolhe narrativas falsas para obscurecer a verdade, escolhe a escuridão em lugar da luz e mentiras em lugar da verdade.

Miroslav Volf, o mais conhecido intelectual da teologia nos Estados Unidos, e seu colega Matthew Croasmun escreveram o excelente livro *For the Life of the World* [Pela vida do mundo], em que associam a verdade ao caráter cristão: "A busca pela verdade é uma das dimensões que constitui a vivência da vida autêntica; e a vivência da vida autêntica [...] é uma condição para a busca de sua articulação veraz".[2] Em termos simples, seguidores de Jesus devem ser verazes. De igual modo, uma cultura veraz surge quando pessoas vivem na verdade, e viver na verdade desenvolve pessoas que dizem a verdade. Há uma ligação primordial entre vida e discurso, entre ter uma vida verdadeira e dizer a verdade.

Render-se à verdade

Nem sempre é fácil dizer a verdade. Quando Vonda Dyer concordou em relatar o que havia lhe acontecido para o jornal *Chicago Tribune* em 2018, não fazia ideia do tumulto que resultaria dessa reportagem. Em setembro de 2019, ela apresentou o mesmo relato no congresso No More Silence [Chega de silêncio] no Seminário Teológico de Dallas:

> Eu não queria me manifestar. Não queria ser a pessoa a falar. Mas, por amor à pureza e à integridade da igreja que amo [...] logo

percebi que precisaria ter coragem para me pronunciar, mesmo que significasse perder tudo. Alguns dias, parece que foi quase o que aconteceu. Fazer essa denúncia foi uma das decisões mais difíceis, desafiadoras, dolorosas e transformadoras que já tive de tomar. Paguei um preço incalculável. Não fazia ideia de que a igreja que eu amava não acreditaria em mim e nas outras nove mulheres, mesmo quando as alegações se acumularam. Não fazia ideia de que a igreja continuaria a acreditar no pastor em questão, apesar de anos de alegações que haviam fervilhado e sido apresentadas sem que nenhuma providência fosse tomada. Não imaginava que meu caráter seria publicamente assassinado. Era ingênua e não imaginava que sofreria perseguição e seria caluniada, que contariam mentiras a meu respeito e que seria hostilizada continuamente pela igreja em escala mundial e por motivos que nunca entendi completamente. Não sabia como seria devastador me manifestar.[3]

Uma cultura de veracidade pede que nos *rendamos* à verdade, que sejamos humildes, vulneráveis e dispostos a nos sujeitar à verdade mesmo quando for extremamente difícil. Deus nos chama para a luz, pois ele é a luz e deseja que vivamos na "verdadeira luz, que ilumina a todos" (Jo 1.9). Observe estas palavras de Jesus, que conhece o coração humano melhor que ninguém: "Quem pratica a verdade se aproxima da luz, para que outros vejam que ele faz a vontade de Deus" (Jo 3.21). O chamado de Deus para que vivamos na verdadeira luz é uma exortação para que conheçamos a verdade, transformemos a verdade em modo de vida, estejamos abertos para a verdade reveladora do Espírito e sejamos vulneráveis à verdade a fim de que possamos viver diante de Deus com honestidade.

Somente a verdade cura e liberta

No centro do Círculo de *Tov* há um poder salvador, curador e restaurador diferente de qualquer coisa que possamos encontrar de qualquer outra maneira. A verdade é uma pessoa; essa pessoa diz a verdade para nós, e sua palavra falada nos cura. A Bíblia descreve a obra maravilhosa de Deus de várias maneiras: Deus salva, Deus resgata, Deus redime, Deus restaura, Deus cura, Deus reconcilia. Jesus expressou essa realidade da seguinte forma: "Então conhecerão a verdade, e a verdade os libertará" (Jo 8.32).

Em uma cultura de *tov*, a verdade prevalece, pois o povo de Deus escolhe viver na luz da verdade de Deus. Viver na luz nos liberta para amar a luz e odiar a escuridão. Também nos motiva a fazer a luz brilhar na escuridão a fim de que outros sejam libertos para andar na luz. Quando vivemos na verdade, entendemos que a dor de nos expor à luz é uma dor boa, criada por Deus para acabar com os abismos de escuridão e nos transformar em filhos da luz. "Pois antigamente vocês estavam mergulhados na escuridão, mas agora têm a luz no Senhor. Vivam, portanto, como filhos da luz! Pois o fruto da luz produz apenas o que é bom, justo e verdadeiro" (Ef 5.8-9).

O julgamento de Deus é contra aqueles que "impedem que a verdade seja conhecida" (Rm 1.18) e criam narrativas falsas, que descrevemos no capítulo 4. Narrativas falsas não são apenas uma "distorção" ou mesmo uma questão de "proteger o nome da instituição", embora também possam ser essas coisas. Elas são *escuridão*. São o oposto de luz.

Tiago, em sua carta, identifica duas características repulsivas do coração humano e oferece um conselho sábio: "Mas, se em seu coração há inveja amarga e ambição egoísta, não encubram a verdade com vanglórias e mentiras" (Tg 3.14).

IGREJAS *TOV* CULTIVAM VERACIDADE • 159

Eu (Scot) desejo esclarecer o termo *inveja* usado para traduzir o grego *zelos*. Tiago destaca o desejo de dominar outros. Fala de pessoas poderosas que usam seu poder para controlar os fracos. As narrativas falsas são motivadas por uma ambição zelosa de proteger o nome da instituição, defender a reputação ou preservar a glória de um líder ambicioso, de uma igreja zelosa e de seu conselho de líderes.

Mike Breaux, ex-pastor da Willow Creek, ao visitar a igreja em 2019, falou dos efeitos devastadores que a supressão da verdade exerce sobre a alma.

> Começa da seguinte forma: é apenas um pouco de exagero; um pouco de maquiagem; um pouco de distorção política; e, antes que percebamos, a autenticidade some de nossa [vida] e deixamos de ser autênticos.
>
> Mas, afinal, por que agimos desse modo? [...] Às vezes, escondemos a verdade para projetar uma imagem; às vezes o fazemos para proteger o nome de uma instituição. Às vezes, é para ocultar nossa culpa. É para permanecer no poder. [...]
>
> Vi algumas pessoas muito íntegras, amáveis, humildes e nobres serem atropeladas, e suas famílias serem gravemente prejudicadas. [...] Reter a verdade destrói famílias — famílias como as de vocês, famílias como a minha, famílias como esta. Transparência e verdade nos libertam. [...]
>
> E, embora seja fato inegável que a verdade liberta, também é fato que a verdade pode causar enorme aflição por algum tempo. [...] Mas de uma coisa eu sei: no fim das contas, a verdade sempre conduz a crescimento e liberdade.[4]

Quando igrejas resistem à veracidade

O que acontece quando uma igreja se recusa a ouvir, quando líderes negam, negam, negam e continuam a propagar uma narrativa falsa? O que acontece quando a igreja resolve se unir para preservar seu nome, sua reputação e sua narrativa? O que acontece quando não restam mais canais pelos quais a verdade pode ser revelada? Por vezes, aqueles que dizem a verdade precisam ir a público, pois as narrativas falsas da igreja estão suprimindo a verdade.

Por mais difícil que seja relembrar a dor do abuso, aqueles que foram feridos *querem* que suas histórias sejam contadas. Querem que sua dor seja reconhecida e que a verdade venha à luz. Aqueles que sofreram abuso *precisam* que a verdade seja contada para que possam começar o processo de cura. Mas, assim como aqueles que sofreram abuso desejam que a verdade seja revelada, aqueles que cometeram abuso desejam que a história seja encoberta e silenciada.

Por motivos dos quais já tratamos, e muitas vezes com a justificativa de "ser bíblicos", líderes da igreja costumam pedir a vítimas, sobreviventes e seus apoiadores que não façam suas alegações publicamente, mas que mantenham a "dignidade" do silêncio. Contudo, se a escuridão precisa de luz para que o mal seja desarraigado, há ocasiões em que a coisa mais bíblica que podemos fazer é colocar o mal debaixo da luz da verdade ao ir a público. Por certo, sempre que possível, devemos procurar a sós quem nos ofendeu e conversar pessoalmente antes de envolver outros. Mas nunca é o caso quando se trata de abuso sexual ou abuso de poder. Pedir que a vítima confronte o agressor pessoalmente é, em si mesmo, uma forma de abuso.

Keri Ladouceur relatou para mim (Laura) que, quando ela se queixou do comportamento inapropriado de Bill Hybels em relação a ela, dois líderes da Willow Creek recomendaram que ela se encontrasse a sós com Hybels (mais uma vez, Mateus 18) para tratar pessoalmente dessa questão. Os líderes disseram

IGREJAS *TOV* CULTIVAM VERACIDADE • 161

a Keri que as considerações dela seriam "um presente para Bill" e que ele precisava ouvir o que outros tinham a dizer a respeito de situações que "talvez houvessem sido mal interpretadas". Keri teve a impressão de que já haviam formado suposições e conclusões de antemão. Ainda assim, por amor à verdade, dispôs-se a marcar um encontro com Hybels. Contudo, foi categórica na exigência de não se encontrar com ele *sozinha*. Várias vezes, ela pediu para que uma terceira pessoa neutra estivesse presente, e seu pedido foi recusado. Keri percebeu que não seria prudente encontrar-se com Hybels sozinha e tomou a sábia decisão de não fazê-lo.[5]

Se uma igreja e sua liderança continuarem a fechar os ouvidos, se continuarem a controlar a narrativa por meio de distorções ou mentiras explícitas, é bíblico, e melhor, ir a público.

Aprofundemo-nos um pouco mais nessa questão. A linguagem bíblica para "ir a público" é *ação profética*. Está presente em toda a Bíblia. No Antigo Testamento, quando líderes suprimiam a verdade e viviam uma narrativa falsa, por vezes os profetas encenavam a mensagem de Deus para chamar a atenção do povo. Jeremias despedaçou um vaso em público para mostrar o que Deus estava prestes a fazer (Jr 19.1-13). Em outra ocasião, pegou um cinto de linho novo e o escondeu em um buraco junto ao rio Eufrates. Mais tarde, desenterrou o cinto e constatou que não tinha mais utilidade, tudo isso para mostrar o julgamento de Deus sobre o povo em razão de seus pecados (Jr 13.1-11).

Os profetas não eram chamados para a mesa de negociação. Não eram chamados para salas de reunião ou escritórios, ou para a cafeteria mais próxima a fim de dialogar e buscar reconciliação. Eram chamados para a proclamação pública. Quando líderes na igreja suprimem a verdade, é extremamente bíblico ir a público. Qualquer coisa aquém da revelação da verdade seria extremamente *não* bíblica.

Ação e proclamação proféticas são agentes de veracidade, arrependimento e restauração ao longo de toda a história da Bíblia e da igreja. Mas sejamos claros: ação profética nunca deve ser a *primeira* coisa a ser feita. No caso das vítimas de abuso da Willow Creek, elas e seus defensores esperaram quatro anos antes de ir a público. Quando se esgotaram as opções interpessoais, por trás de portas fechadas, a ação profética pública se tornou justificada. Foi espantoso descobrir que, durante quatro anos, as mulheres na Willow Creek suplicaram confidencialmente para que a verdade fosse dita, enquanto a liderança insistiu com elas para que não fossem a público e repreendeu publicamente aquelas que o fizeram. Foi ainda mais preocupante ouvir de mais de uma dezena de pessoas que a igreja estava oferecendo grandes somas em dinheiro em troca de silêncio e da assinatura de termos de confidencialidade.

Se o *Chicago Tribune* não tivesse publicado a reportagem escrita por Manya Brachear e Jeff Coen, é provável que essas mulheres ainda estivessem suplicando e a Willow Creek ainda estivesse protelando. A questão, contudo, não diz respeito somente a uma igreja específica. Repetidamente, vítimas de abuso que escolheram a bondade e a verdade, que relataram suas histórias confidencialmente e seguiram os processos da igreja, foram caladas. A verdade foi suprimida e os agressores permaneceram em seus cargos de poder. Igrejas que usaram a estratégia de manter o silêncio obrigaram autores de blogs, jornalistas e escritores a levá-las a um acerto público de contas. Quando agressores e líderes eclesiásticos poderosos se recusam a fazer o que é certo, é hora de ação profética bíblica. É hora de ir a público.

Exemplificar Yom Kippur

Embora, logo no início da história, os seres humanos tenham se escondido e tentado encobrir seus atos, a Bíblia não é conivente com o ocultamento de pecado. Qualquer um que tenha lido as Escrituras sabe que elas retratam as pessoas como verdadeiramente são, com todos os seus defeitos. Abraão mentiu a respeito de sua esposa (*duas* vezes) para salvar a própria pele. Jacó enganou seu pai a fim de tomar a bênção que cabia a seu irmão. Os irmãos de José o venderam como escravo e, para enganar o pai, deram a entender que José havia sido morto. Moisés matou um egípcio e fugiu para o deserto, onde viveu como exilado durante quarenta anos. Davi cometeu adultério com Bate-Seba e tramou a morte do marido dela. Depois veio Salomão, com setecentas esposas e trezentas concubinas. Precisaríamos de inúmeras páginas para falar dele. No Novo Testamento, Tiago e João correram atrás de poder e prestígio entre os discípulos e quiseram pedir fogo do céu para destruir um vilarejo que havia rejeitado Jesus. A certa altura, Pedro negou até que conhecesse Jesus e, anos depois, teve uma briga feia com Paulo.

Ler a Bíblia não é como ler contos de fadas que sempre têm um final feliz. Deus se dispõe a dizer a verdade a respeito de nossas fraquezas humanas. E ele quer que nós também digamos a verdade. Além disso, Deus tinha sua história para contar, de expiação, perdão e reconciliação. É a história de Yom Kippur e traz uma lição importante para nós hoje.

Todos os anos, desde tempos remotos, Israel comemora Yom Kippur, o Dia da Expiação, um dia em que a nação diz a verdade a respeito de si mesma, e o Deus *tov* de Israel perdoa o povo com a mais pura graça.

164 • UMA IGREJA CHAMADA *TOV*

Além do sacrifício que purificava o templo como lugar apropriado para Deus habitar, e além da necessidade evidente de Israel — como povo e como indivíduos — ser purificado do pecado, três temas ocupam lugar central em Yom Kippur:

1. Todos se reúnem.
2. Todos se abstêm de prazeres físicos (fazem jejum de alimento e água, não tomam banho, não ungem o corpo e não têm relações sexuais).
3. Ninguém trabalha.

Yom Kippur é, portanto, um ato congregacional de negação própria com um foco específico, que volta a mente das pessoas para Deus, para os pecados do ano que passou e para a graça de Deus expressa em perdão e reconciliação. Eis o que Bíblia diz sobre esse dia especial:

O Senhor disse a Moisés: "Comemorem o Dia da Expiação no décimo dia do mesmo sétimo mês. Celebrem-no como uma reunião sagrada, um dia para se humilharem e apresentarem ofertas especiais para o Senhor. Não façam trabalho algum durante todo esse dia, pois é o Dia da Expiação, no qual se fará expiação em seu favor diante do Senhor, seu Deus. Todos aqueles que não se humilharem nesse dia serão eliminados do meio do povo. Destruirei aqueles que, dentre vocês, trabalharem em algo nesse dia. Não façam trabalho algum. Essa é uma lei permanente para vocês e deve ser cumprida de geração em geração, onde quer que morarem. Será um sábado de descanso absoluto para vocês e, nesse dia, deverão se humilhar. O dia de descanso começará ao entardecer do nono dia do mês e se estenderá até o entardecer do décimo dia".

Levítico 23.26-32 (ver tb. Lv 16; Nm 29.7-11)

Um compromisso com confissão, arrependimento, purificação e perdão ocupa o centro da cultura judaica. Juntamente com os sacrifícios comuns e habituais associados a pecados, Israel tinha uma data específica separada no calendário para lembrar e confessar seu pecado e colocar as coisas em ordem com seu Deus *tov*.

Hoje, somos chamados a confessar nossos pecados para Deus e uns para os outros (Tg 5.16; 1Jo 1.8-10). Confessar significa reconhecer o que fizemos, dar nome a nossos atos, descrevê-los e assumir responsabilidade por eles. Somos reconciliados com Deus por meio da confissão. A tentativa de seguir em frente e deixar o pecado para trás sem dizer a verdade por meio da confissão banaliza a graça de Deus.

Dietrich Bonhoeffer, em seu conhecido livro *Discipulado*, usa a expressão "graça barata". Estas são algumas de suas palavras incisivas:

Graça barata significa graça como resto de estoque, perdão com desconto, conforto com desconto, sacramento com desconto; graça como a despensa inesgotável da igreja, distribuída por mãos descuidadas sem hesitação e sem limite. Graça sem preço, graça sem custo. [...]

A igreja que ensina essa doutrina da graça confere, por meio dela, essa mesma graça sobre si. O mundo encontra nessa igreja uma forma barata de encobrir pecados pelos quais ele não expressa nenhum remorso e dos quais tem ainda menos desejo de se libertar. [...]

Graça barata significa justificação do pecado, mas não do pecador. [...]

Graça barata é pregar perdão sem arrependimento; é batismo sem a disciplina da comunidade; é a Ceia do Senhor sem a confissão de pecado; é absolvição sem confissão pessoal. Graça barata

166 • UMA IGREJA CHAMADA *TOV*

é graça sem discipulado, graça sem cruz, graça sem Jesus Cristo vivo e encarnado.[6]

Assim como a graça não é barata, mas foi comprada para nós pelo sangue que Jesus Cristo derramou, dizer a verdade também tem um preço.

Quando o relato de Pat Baranowski do abuso que ela sofreu nas mãos de Bill Hybels foi publicado no *New York Times*, Steve Carter, um dos pastores titulares da Willow Creek, sentiu-se nauseado com o que leu e com o que hoje ele reconhece ter sido uma reação tóxica dos líderes da igreja. "Depois de várias conversas francas com os presbíteros", disse ele, "ficou evidente que havia uma diferença fundamental de avaliação entre o que eu considerava necessário para que a Willow Creek tomasse um rumo mais positivo e o que eles achavam que seria melhor."[7]

Steve implorou para que os líderes da Willow Creek dissessem a verdade e fossem transparentes, mas quando essas súplicas caíram em ouvidos moucos, ele pediu demissão e observou: "Daria a impressão errada se eu subisse naquele palco junto com eles, como se estivéssemos apresentando uma frente unificada".[8]

A nosso ver, a decisão súbita de Steve de sair da Willow Creek foi profética. Seu ato público de pedir demissão de imediato falou mais alto que quaisquer palavras. Sua decisão foi corajosa, foi honesta e *priorizou pessoas* em lugar de interesses próprios. Em resumo, foi uma decisão a favor de *tov*.

Poderíamos contar histórias semelhantes sobre alguns dos presbíteros da Harvest Bible Chapel que pediram para sair do conselho depois que repetidas tentativas de responsabilizar James MacDonald foram ignoradas pelos demais presbíteros. Alguns desses homens sofreram até a humilhação de ser publicamente expulsos da igreja e ouviram que sua decisão de ir a público era "satânica em seu âmago".[9]

Dizer a verdade é difícil, mas essa é a essência de Yom Kippur, pois somente por meio da confissão honesta a escuridão do pecado pode ser trazida a lume e exposta ao sangue de Cristo que faz expiação.

Pular Yom Kippur

Em 19 de julho de 2019, dezesseis meses depois que o *Chicago Tribune* publicou as revelações sobre Bill Hybels, o novo conselho de presbíteros da Willow Creek enviou para os membros da igreja um e-mail que parecia reconhecer, finalmente, a necessidade daquilo que chamamos aqui "momento Yom Kippur", um tempo de confissão, lamentação, arrependimento, perdão e reconciliação.[10] Os presbíteros reconheceram "as negações e a recusa em admitir comportamento pecaminoso, intimidador e excessivamente controlador" por parte de Hybels.[11] E reconheceram o estrago que muitos sofreram em virtude do "rompimento de relacionamentos, da quebra de confiança e da perda de senso de comunidade".[12] Essas são confissões biblicamente sadias. A carta trazia, ainda, um pedido de perdão às mulheres e seus apoiadores, que também foi publicado no site da igreja:

> Às mulheres e seus defensores: nos dias e meses depois da reportagem de março de 2018 do *Chicago Tribune*, a reação da igreja levou a ataques verbais e escritos. Soubemos do impacto que eles tiveram sobre vocês, suas famílias e sua situação profissional dentro da comunidade cristã. Descobrimos que a narrativa continua a apresentar vocês como se fossem pessoas mentirosas, que estavam de conluio, apesar do pedido de perdão publicado pelos pastores titulares em junho de 2018 e pelo antigo conselho de

presbíteros em agosto de 2018. No início de 2019, *o relatório da IAG constatou que suas alegações são críveis, e apoiamos inequivocamente esse posicionamento. Acreditamos em suas alegações a respeito de Bill.* Pedimos a todos que participaram desses ataques verbais e escritos que examinem suas ações em atitude de oração, peçam perdão pelo mal que fizeram e procurem restaurar o relacionamento.[13]

Quando a carta concluiu com um convite para que "toda a família Willow Creek, passada e presente, juntamente com os presbíteros, se reunisse para um culto de adoração e reflexão", pareceu que estavam sendo feitos preparativos para um tempo conjunto de Yom Kippur, caracterizado por pesar e confissão. Infelizmente, o que ocorreu nesse encontro foi outro exemplo de traição institucional que serviu apenas para traumatizar novamente os feridos.[14] Embora os presbíteros tivessem reconhecido que a igreja havia sido "desfigurada por abuso de poder, pecado sexual e idolatria",[15] não trataram da cultura subjacente que permitiu que as condutas pecaminosas de Bill Hybels corressem soltas. Embora tenham se referido a "ocorrências de pecado não tratado e homens e mulheres feridos",[16] não falaram da dinâmica de poder que encobriu o pecado nem pediram perdão por terem acusado as mulheres e seus apoiadores de conluio e mentira. E não trataram da dinâmica cultural na Willow Creek que levou tantos de seus membros a tomar partido de Bill Hybels contra as mulheres. Em vez disso, procuraram focalizar uma mensagem de reconciliação e falar de sua visão para o futuro; em resumo, façamos as pazes e prossigamos. No entanto, a reconciliação só é possível por meio de confissão e arrependimento. Quando o apóstolo Paulo disse aos coríntios que Deus "nos trouxe de volta para si por meio de Cristo" (2Co 5.18), o *custo* dessa reconciliação era claramente entendido. Mas, quando o novo conselho de presbíteros da Willow Creek declarou que o e-mail enviado para os membros seria "sua última declaração pública a tratar diretamente dos acontecimentos de 2018", com efeito, pulou Yom Kippur e preferiu graça barata.

Yom Kippur na prática cristã

Yom Kippur não era uma ocorrência pontual e definitiva. Antes, era uma lembrança anual para que o povo de Deus dissesse a verdade a respeito de seus pecados e buscasse o perdão de Deus.

De modo semelhante, precisamos de um tempo regular de Yom Kippur em nossas igrejas para garantir que a veracidade se torne elementar em nossa cultura. As igrejas atentas para o calendário litúrgico talvez já tenham a infraestrutura necessária: o período de quarenta dias da Quaresma, que se encerra na Semana Santa. Se combinarmos a Quaresma, um tempo de pesar por nossos pecados demonstrado por meio de jejum e arrependimento, com a expectativa da graça e do perdão expressos na Sexta-Feira Santa e na Páscoa, temos um correspondente cristão sólido de Yom Kippur, com introspecção, negação de si mesmo, confissão e perdão. Em igrejas que não observam o calendário litúrgico, o hábito da confissão talvez não seja tão desenvolvido. Em outras palavras, essas igrejas talvez precisem criar um meio e um método de tornar a confissão parte do tecido de sua cultura.

O hábito da Quaresma deve dar à igreja a capacidade de reagir apropriadamente quando um líder errar ou quando ocorrer pecado entre seus membros. Portanto, quando um líder da igreja erra, os membros podem iniciar um momento de Yom Kippur e refletir sobre suas condutas, discernir seus pecados e buscar a graça de Deus por meio de confissão e arrependimento.

Um refrão comum entre líderes de igreja quando um pecado vem à tona e precisa ser tratado é que estão "passando por uma fase" ou "um capítulo" da vida da igreja. Mas pelo que, exatamente, estão passando? Eu (Scot) tenho a convicção de que a maioria dos líderes quer apenas *sair* dessa fase, e não a considera uma oportunidade de Yom Kippur redentor. No entanto, sem adotar esses momentos Yom Kippur (períodos de introspecção e confissão), a igreja não enxerga a profundidade de seus problemas e, portanto, não se arrepende e não se reconcilia com Deus.

Quer nos voltemos para Yom Kippur ou para a Quaresma, quer para a prática cristã geral de confissão, temos de reconhecer que confissão e arrependimento são necessários. Narrativas falsas precisam ser devidamente identificadas: são *falsas*. É preciso reconhecê-las, repudiá-las e substituí-las pelo compromisso de dizer a verdade.

Dr. Wade Mullen captou essa ideia de forma poética no Twitter:

> O pesar é fingido,
> a confissão, parcial,
> o perdão, explorado,
> a restituição, mero adendo,
> e a reconciliação, simples ilusão,
> enquanto a verdade não é dita.[17]

Como James Baldwin escreve em *The Price of the Ticket* [O preço do ingresso], "Quem não consegue dizer a verdade para si mesmo a respeito de seu passado é prisioneiro dele [...] incapaz de avaliar suas fraquezas ou forças e, com frequência, faz confusão entre elas".[18] Baldwin nos exorta a dizer a verdade, a contar a história, mesmo que "o preço a ser pago seja lançar um longo olhar para trás", com uma necessária "avaliação firme do histórico".[19]

Inspirados pelo desafio de Baldwin, e tomando emprestadas suas palavras para aplicá-las a nosso propósito, "temos a oportunidade" na igreja "de criar, por fim, aquilo que deveríamos ter planejado quando começamos".[20] Contudo, se desejamos aproveitar essa oportunidade nas igrejas em que forças sombrias provocaram comportamentos pecaminosos, abuso, acobertamento, narrativas falsas e mentiras públicas descaradas, a única forma de fazê-lo é lançar um longo olhar para trás e avaliar com honestidade nosso histórico. É necessário um momento Yom Kippur, como o que foi iniciado por Robert Cunningham na Igreja Presbiteriana Tates Creek (veja capítulo 3). Se pastores, presbíteros e membros da igreja desejam conduzi-la à cura, precisam escolher não pular o plano de Deus para confissão, arrependimento, perdão e reconciliação. Precisam encarar o passado com a coragem do bondoso amor de Deus.

A fim de dar nome à verdade, incentivamos igrejas a desenvolver uma litania de confissão por meio da qual pastores, líderes e membros possam reconhecer para Deus e uns para os outros sua cumplicidade, sua pecaminosidade e suas falhas para com *todos* que sofreram abuso ou exploração na igreja. Oferecemos aqui um modelo de liturgia que uma igreja como a Willow Creek (o exemplo que conhecemos melhor) poderia usar depois de identificar uma situação de pecado.

Senhor, em tua misericórdia, ouve nossa oração.
Há indícios de que os acusadores de Bill Hybels disseram a verdade a respeito dele, de que ele cometeu abusos contra eles por meio de seu comportamento e de suas palavras.

Cremos que Bill errou.

Cremos que nós erramos ao apoiar uma cultura que permitiu a ocorrência e a continuidade de comportamento abusivo.

Lamentamos a forma que os acusadores dele foram tratados.

Pedimos desculpas, buscamos perdão e expressamos publicamente nosso apoio a eles.

Senhor, em tua misericórdia, perdoa nossos pecados.

Senhor, em tua misericórdia, ouve nossa oração.

Cremos que Pat Baranowski disse a verdade a respeito de Bill Hybels.

Lamentamos a forma que ela foi tratada e lamentamos os anos de depressão, pobreza e isolamento que se seguiram.

Pedimos desculpas a Pat e buscamos seu perdão.

Reconhecemos publicamente a coragem dela de se pronunciar e expressamos publicamente nosso apoio a ela.

Senhor, em tua misericórdia, perdoa nossos pecados.

Senhor, em tua misericórdia, ouve nossa oração.

Cremos que Vonda Dyer disse a verdade a respeito de Bill Hybels.

Lamentamos a forma que ela foi tratada.

Lamentamos as consequências que ela sofreu ao relatar sua história.

Arrependemo-nos, pedimos desculpas a Vonda e buscamos seu perdão.

Reconhecemos publicamente a coragem dela de se pronunciar e expressamos publicamente nosso apoio a ela.

Senhor, em tua misericórdia, perdoa nossos pecados.

Senhor, em tua misericórdia, ouve nossa oração.

Cremos que Nancy Beach disse a verdade a respeito de Bill Hybels.

Lamentamos as consequências que ela sofreu ao relatar sua história.

Arrependemo-nos, pedimos desculpas a Nancy e buscamos seu perdão.

Reconhecemos publicamente a coragem dela de se pronunciar e expressamos publicamente nosso apoio a ela.

Senhor, em tua misericórdia, perdoa nossos pecados.

Senhor, em tua misericórdia, ouve nossa oração.

Cremos que Julia Williams disse a verdade a respeito de Bill Hybels.

Lamentamos a forma que ela foi tratada.

Reconhecemos publicamente a coragem dela de se pronunciar e expressamos publicamente nosso apoio a ela.

Senhor, em tua misericórdia, perdoa nossos pecados.

Senhor, em tua misericórdia, ouve nossa oração.

Cremos que Maureen Girkins disse a verdade a respeito de Bill Hybels.

Lamentamos a forma que ela foi tratada.

Reconhecemos publicamente a coragem dela de se pronunciar e expressamos publicamente nosso apoio a ela.

Senhor, em tua misericórdia, perdoa nossos pecados.

Senhor, em tua misericórdia, ouve nossa oração.

Cremos que Keri Ladouceur disse a verdade a respeito de Bill Hybels.

Lamentamos as consequências que ela sofreu ao relatar sua história.

Arrependemo-nos, pedimos desculpas a Keri e buscamos seu perdão.

Reconhecemos publicamente a coragem dela de se pronunciar e expressamos publicamente nosso apoio a ela.

Senhor, em tua misericórdia, perdoa nossos pecados.

Senhor, em tua misericórdia, ouve nossa oração.

174 • UMA IGREJA CHAMADA *TOV*

Cremos que Betty Schmidt disse a verdade a respeito de Bill Hybels.

Lamentamos as consequências que ela sofreu ao relatar sua história.

Arrependemo-nos, pedimos desculpas a Betty e buscamos seu perdão.

Reconhecemos publicamente a coragem dela de se pronunciar e expressamos publicamente nosso apoio a ela.

Senhor, em tua misericórdia, perdoa nossos pecados.

Senhor, em tua misericórdia, ouve nossa oração.

Cremos que Jimmy e Leanne Mellado disseram a verdade a respeito de Bill Hybels.

Lamentamos as consequências que eles sofreram ao relatar sua história.

Arrependemo-nos e pedimos perdão a Jimmy e Leanne.

Reconhecemos publicamente a coragem deles de revelar esses acontecimentos e expressamos publicamente nosso apoio a eles.

Senhor, em tua misericórdia, perdoa nossos pecados.

Senhor, em tua misericórdia, ouve nossa oração.

Cremos que Manya Brachear, Jeff Coen e Bob Smietana são indivíduos de integridade jornalística.

Cremos que Manya e Jeff disseram a verdade a respeito de Bill Hybels no jornal *Chicago Tribune*.

Cremos que Bob disse a verdade a respeito de Bill Hybels na revista *Christianity Today*.

Lamentamos a forma que foram tratados.

Arrependemo-nos, pedimos desculpas a Manya, Jeff e Bob e buscamos seu perdão.

Reconhecemos publicamente sua competência e sua integridade como jornalistas.

Senhor, em tua misericórdia, perdoa nossos pecados.

IGREJAS *TOV* CULTIVAM VERACIDADE • 175

Convidamos você a usar o exemplo acima para criar uma litania e orá-la em sua igreja, organização ou situação. Se houver diversos agressores, diversos incidentes e/ou diversas vítimas, apenas repita a parte apropriada da litania, mudando os nomes conforme necessário, até que tenha incluído todas as mulheres, homens, meninas e meninos de sua igreja ou ministério que precisam ouvir palavras de confissão e arrependimento e pedidos de perdão. A litania deve abranger todos que foram atingidos. Você pode adaptar as palavras como lhe parecer melhor, mas certifique-se de incluir os seguintes elementos essenciais:

1. Expressar apoio a quem disse a verdade.
2. Mencionar por nome o agressor e todas as transgressões específicas.
3. Confessar toda cumplicidade (quer intencional quer por negligência) de outros líderes e dos membros da igreja.
4. Reconhecer publicamente o mal causado à vítima, expressar tristeza, lamentação, confissão e arrependimento e pedir perdão.
5. Reconhecer publicamente o desejo/a intenção de mudar.

A veracidade ocupa o centro do Círculo de *Tov*, mas a veracidade não é algo instintivo em culturas tóxicas, em que falsas narrativas proliferam. Precisa ser desenvolvida. Em uma igreja chamada *tov*, a veracidade se torna um modo de vida, uma forma constante de nos expor a nosso Deus *tov* que se revela em Jesus Cristo. Pela graça de Deus, o Espírito Santo nos torna abertos para a verdade. Ao acolhermos a verdade, o Espírito nos transforma em um grupo de pessoas comprometidas, que dizem a verdade e buscam a justiça, o atributo seguinte que consideraremos no Círculo de *Tov*.

10

Igrejas *tov* cultivam justiça

Em uma cultura eclesiástica *tov*, a justiça (fazer a coisa certa) é um tema central. Em uma cultura eclesiástica tóxica, a lealdade ao líder ou à reputação da igreja tem precedência. Por vezes, a diferença entre lealdade e justiça é sutil, mas quando há conflito entre as duas, essa diferença se torna gigantesca. Infelizmente, em muitas igrejas de hoje, pede-se aos cristãos que escolham entre lealdade e justiça.

Heroína da resistência

Rachael Denhollander, ex-ginasta, recebeu atenção internacional quando se tornou a primeira mulher a acusar publicamente de estupro Larry Nassar, conhecido e respeitado médico da equipe de ginástica dos EUA. Nassar era osteopata proeminente, com um consultório na Universidade Estadual de Michigan, onde tratou de Rachael e de centenas de outras jovens atletas que eram suas pacientes e abusou delas repetidamente. No momento, Nassar cumpre uma sentença de prisão perpétua em decorrência dos dedicados esforços de Rachel e de outras para que se fizesse justiça quanto a esse agressor de

IGREJAS *TOV* CULTIVAM JUSTIÇA • 177

crianças e moças.[1] De acordo com Rachael, ela o denunciou publicamente "porque era certo".[2]

Quem poderá se esquecer do testemunho televisionado de Rachael e do momento em que ela se viu frente a frente com Nassar no tribunal e fez uma declaração comovente de perdão ao homem que a violentou?

> Você falou de orar pedindo perdão. Mas, Larry, se você alguma vez leu a Bíblia que carrega por aí, sabe que perdão não é resultado de realizar boas ações, como se elas apagassem o que você fez. É resultado de arrependimento e, para isso, é preciso encarar e reconhecer a verdade a respeito do que você fez, atos de depravação absoluta e horror que não podem ser mitigados nem justificados; é preciso parar de agir como se boas ações pudessem apagar o que foi mostrado hoje neste tribunal. [...]
>
> A Bíblia [...] trata de julgamento final, em que toda a ira de Deus e todo o terror eterno são derramados sobre homens como você. Se, algum dia, você chegar a verdadeiramente reconhecer o que fez, a culpa será esmagadora. E é isso que torna tão doce o evangelho de Cristo. Ele oferece graça, esperança e misericórdia onde não deveriam estar presentes. E elas estarão a seu dispor.
>
> Peço a Deus que você sinta o peso esmagador da culpa em sua alma para que, algum dia, experimente o verdadeiro arrependimento e o verdadeiro perdão de Deus, do qual você precisa muito mais do que precisa de meu perdão, embora eu também o ofereça.[3]

Nosso objetivo aqui não é focalizar o sucesso de Rachael em aplicar justiça a Larry Nassar, por mais importante que seja esse sucesso. Antes, queremos destacar seus esforços incansáveis para revelar indícios de abuso sexual dentro da rede de igrejas da Sovereign Grace Churches (SGC).[4] Rachael descobriu fervorosa e irredutível lealdade à SGC como instituição

178 • UMA IGREJA CHAMADA *TOV*

em lugar de disposição de buscar justiça para crianças, homens e mulheres que sofreram abuso. Infelizmente, ela recebeu mais apoio para entrar na justiça contra Larry Nassar do que para revelar os pecados de diversos pastores e líderes da SGC.

No testemunho de Rachael no tribunal durante o julgamento de Nassar, ela disse: "Minha defesa de vítimas de violência sexual, um trabalho tão importante para mim, custou-me minha igreja e nossos amigos mais próximos três semanas antes de eu fazer o boletim de ocorrência na polícia. Fiquei sozinha e isolada".[5] A referência é a sua decisão de sair da Igreja Batista Emanuel em Louisville, Kentucky, depois que o líder da SGC, C. J. Mahaney, foi convidado a pregar naquela igreja.[6]

Antes desse convite, quando Rachael soube que os presbíteros da igreja permitiriam que Mahaney pregasse, expressou sua preocupação em razão das alegações feitas contra ele e outros líderes da SGC de encobrir abuso sexual em sua rede de igrejas. Os líderes da Igreja Batista Emanuel a acusaram de tentar "causar divisão", e o pastor lhe disse: "Você não tem permissão de falar da SGC em nenhum contexto em que outro membro possa ouvir que seu posicionamento difere do posicionamento da liderança".[7] Esse é um exemplo clássico de colocar a lealdade antes da verdade.

Na maioria dos casos, a lealdade é uma virtude, mas não quando obstrui a justiça e impede outros de fazer a coisa certa diante de Deus. Dentro da cultura tóxica da rede de igrejas da SGC, aqueles que se manifestavam eram retratados, com frequência, como pessoas desleais. Mulheres da SGC afirmaram que foram dissuadidas de se divorciar de maridos abusivos, e pastores acusados de abuso permaneceram na liderança da igreja.[8] Quando sobreviventes de abuso relataram, corajosamente, suas histórias a pastores e líderes, foram instruídos a resolver suas "diferenças" de acordo com Mateus 18 e 1Coríntios 6 e ouviram que o abuso não devia ser denunciado às autoridades civis. Denunciar o abuso às autoridades seria desleal e "antibíblico". O que dominava essa cultura? A lealdade aos pastores, aos presbíteros, à igreja local e à rede mais ampla de igrejas. (Em 2019, a SGC fez uma declaração oficial em que disse: "Negamos categoricamente acusações de acobertamento, abuso e proteção de abusadores".[9])

Em uma entrevista para a revista *Christianity Today* em 2018, Rachael Denhollander disse que, a seu ver, "a igreja é um dos lugares menos seguros para reconhecer a presença de abuso" e "um dos piores lugares para obter ajuda".[10] Rachael revela em suas memórias que, quando criança, sofreu abuso de um estudante universitário. Conselheiros haviam advertido líderes da igreja a respeito desse estudante, pois tinham reconhecido indícios de corrupção de menor e contato físico inapropriado. No entanto, os líderes da igreja desconsideraram as observações dos conselheiros, pois eles haviam "usado materiais de psicólogos e terapeutas" cujo "conteúdo era 'extrabíblico' e, portanto, inconfiável".[11] De acordo com Rachael, outras ocorrências de abuso haviam sido relatadas na igreja de sua infância, mas foram mantidas em segredo a fim de preservar a reputação da igreja. Mais uma vez, a lealdade prevaleceu em lugar da justiça.

Quando Rachael, já adulta, expressou preocupação com a forma que as alegações de abuso eram tratadas na SGC, líderes da igreja usaram o histórico de Rachael como sobrevivente de abuso para tentar desacreditá-la. Na Igreja Batista Emanuel, o pastor disse a Rachael que ela estava "projetando suas experiências" em outros.[12]

Rachael e seu marido, Jacob, depararam com lealdade à instituição à custa de justiça para vítimas de abuso sexual.

180 • UMA IGREJA CHAMADA *TOV*

Rachael relata em seu livro de memórias que Jacob foi convidado a deixar o cargo que ocupava como voluntário na igreja e que o grupo de apoio que eles lideravam foi encerrado, só porque ela havia questionado o conselho da igreja.[13]

> Não perdi minha igreja especificamente porque me pronunciei. Foi porque defendemos outras vítimas de abuso sexual dentro da comunidade evangélica, vítimas de crimes que haviam sido cometidos por pessoas da igreja e de abuso que havia acontecido porque líderes proeminentes da comunidade evangélica muito claramente deram espaço para isso. Essa não é uma mensagem que líderes evangélicos querem ouvir, pois custaria caro falar desses problemas na comunidade. Custaria caro posicionar-se contra esses líderes extremamente proeminentes, embora a situação com a qual estávamos lidando fosse amplamente reconhecida como um dos piores, senão *o* pior caso de acobertamento evangélico de abuso. Mas, uma vez que assumi esse posicionamento, e uma vez que não concordamos com o apoio dado por nossa igreja a essa organização e a esses líderes, pagamos um alto preço.[14]

No fim das contas, líderes da SGC defenderam uns aos outros. C. J. Mahaney foi protegido, e os pastores da Igreja Batista Emanuel oraram para que os líderes da SGC tivessem perseverança diante das alegações falsas feitas contra eles.[15] Quem saiu perdendo? A verdade, a justiça e os feridos.

Lealdade tóxica

Ao realizarmos a pesquisa para este livro, descobrimos muitos exemplos de líderes que exigem lealdade. Como não é de surpreender, o nome de Bill Hybels apareceu com frequência. Um amplo estudo da Willow Creek Community Church realizado por Greg Pritchard, atual presidente do Fórum de Líderes Cristãos, revelou uma cultura sufocante de lealdade sob a liderança de Bill Hybels.

A lealdade se tornou a virtude mais estimada na igreja, e a deslealdade, um dos piores defeitos. Um membro da equipe explicou para mim que a principal pergunta não verbalizada para o recém-chegado era: "Você verdadeiramente se importa com a igreja e com esse ministério?". Quando investiguei essa questão mais a fundo, um líder importante reconheceu: "Tem razão; a necessidade de lealdade [é] bastante elevada".

Durante minhas entrevistas com membros da equipe, descobri neles um medo intenso de ser considerados desleais. [...] O único membro insatisfeito que encontrei comentou: "Eles [os líderes da igreja] valorizam mais a lealdade que a honestidade".[16]

As sementes da lealdade foram plantadas logo cedo na história da Willow Creek e não demoraram a se tornar um elemento profundamente arraigado em sua cultura. Podemos supor que todos que ocupavam algum cargo de liderança eram extremamente leais.

Na Harvest Bible Chapel, a lealdade também era valorizada. Eis um exemplo inquietante de como a lealdade era expressa na cultura dessa igreja:

Quando a equipe de liderança se reúne no local de retiros ou em algum outro lugar fora da igreja, a brincadeira predileta de James [MacDonald] é "O Jogo dos Nomes". Ele faz cada participante escrever os nomes de três ex-funcionários da Harvest em pedaços de papel e os coloca dentro de um chapéu. Em seguida, cada um pega um nome do chapéu e descreve as coisas terríveis que aquela pessoa fez até que os outros adivinhem quem é. Em retrospectiva, vejo que essa brincadeira cumpre dois propósitos:

- Leva todos a zombar abertamente de pessoas que saem da equipe.

- Reforça a coluna de lealdade da cultura da equipe da Harvest; aqueles que vão embora são maus, e ninguém quer ser um deles.[17]

Quando Mike Bryant, pastor que trabalhou algum tempo na rede de igrejas da Harvest, se tornou alvo do desprazer de James MacDonald, a igreja o expulsou da rede. Depois de perder metade de seus trezentos membros e gastar dezenas de milhares de dólares para mudar o nome da igreja, Bryant observou a respeito da liderança da Harvest: "Eles querem lealdade acima de retidão".[18] (Aqui, retidão significa "fazer o que é certo".)

Por quê?

Diante de tantos exemplos de líderes e membros de igrejas que toleraram comportamento pecaminoso de seus pastores e outros líderes, só nos resta perguntar: "Por quê?".

Por que tantos padres e bispos defendem os padres acusados de abusar sexualmente de meninos e meninas? Lealdade à instituição católica?

Por que tantos presbíteros (o número é estonteante) da Harvest Bible Chapel defenderam James MacDonald se sabiam de sua vulgaridade, de seu envolvimento com jogos de azar e de seu abuso de poder? Lealdade ao homem?

Por que líderes da Willow Creek, depois de descobrir que Bill Hybels havia instruído um funcionário da igreja a despedaçar o disco rígido de seu computador para destruir provas, continuaram a defendê-lo? Lealdade ao nome?

Por que líderes da Convenção Batista do Sul, em vez de investigar Mark Aderholt, o nomearam para cargos de liderança, mesmo depois de saber de seus pecados? Lealdade à reputação da Convenção e seus líderes?

Lealdade a um líder carismático, à reputação de um ministério e ao nome da igreja são grandes obstáculos para fazer a coisa certa. Culturas tóxicas produzem lealdade equivocada e corrompida. Culturas *tov* incentivam as pessoas a fazer a coisa certa mesmo que exija aparente *des*lealdade ao pastor carismático, à igreja famosa e aos círculos internos de poder. Culturas *tov* são leais a um poder superior, o Deus Todo-Poderoso, o que significa um padrão superior de honestidade, integridade, justiça e retidão.

O que é justiça?

Uma vez que a justiça é fundamental para uma cultura eclesiástica *tov*, precisamos de uma boa definição. Para começar, observemos algumas formas comuns de usar esse termo.

"É necessário fazer justiça contra esses criminosos."
"Vamos lutar por justiça."
"Vote em mim, vote na justiça."
"Meritíssimo, peço justiça para meu cliente."

Quando falamos de criminosos, justiça com frequência significa vingança ou retribuição por alguma transgressão cometida. No segundo caso, justiça se refere a restaurar o equilíbrio da sociedade e, muitas vezes, é associada a racismo ou questões econômicas. No terceiro caso, justiça diz respeito à plataforma política de alguém, ou seja: "Quem votar em mim estará votando a favor do tipo de ativismo de justiça que eu apoio". E, no quarto caso, justiça se refere a imparcialidade ou equidade debaixo da lei.

Afinal, o que é justiça? Igualdade, equidade, imparcialidade, bondade, neutralidade, uma decisão legal tomada por alguém que tem autoridade para fazê-lo? Sim, em certo sentido é cada uma dessas coisas. Observe que cada termo funciona em conformidade com um *padrão*, portanto podemos dizer que *o fundamento da justiça é um padrão que usamos para medir o que é justo ou correto*. Logo, quer estejamos falando da constituição de nosso país, da letra da lei ou de uma percepção vaga de liberalismo ocidental, temos algum padrão em mente quando falamos de justiça.

Os cristãos, evidentemente, definem justiça de acordo com a Bíblia. O paradigma dos cristãos é a revelação de Deus em sua Palavra, tanto a Palavra viva (Jesus Cristo) quanto a Palavra escrita (a Bíblia). A justiça pode, portanto, ser definida como um comportamento que fica à altura daquilo que Deus revelou para nós em Cristo e nas Escrituras ou que está em conformidade com essa revelação. Não existe lei ou sistema legal que exija amor, mas Cristo o faz. Não existe lei que exija empatia ou compaixão, mas Cristo o faz. Não existe lei que exija graça, mas Cristo o faz. Em virtude daquilo que Cristo exige de nós, nossa percepção de justiça deve ser radicalmente diferente da forma que o mundo a entende.

A justiça cristã é expressa nesta forte advertência de Jesus: "A menos que sua justiça supere muito a justiça dos mestres da lei e dos fariseus, vocês jamais entrarão no reino dos céus"

(Mt 5.20). Em outras palavras. Jesus ordena que nos comportemos de maneiras que fiquem à altura de seus ensinamentos e que estejam em conformidade com eles, e não com os ensinamentos do mundo.

E temos aqui um pequeno segredo: o termo grego para "justiça" nesse versículo é *dikaiosune*, que também é traduzido por "retidão". Para Jesus, uma pessoa *reta* é alguém que segue seus ensinamentos. De modo semelhante, uma pessoa *justa* é alguém que segue os ensinamentos de Cristo. Alguém que não segue os ensinamentos dele é iníquo ou injusto. Uma cultura *tov* tem conhecimento instintivo daquilo que é correto, mesmo nos momentos mais difíceis. Culturas tóxicas encontram uma forma de contornar o que é correto.

Há um elemento adicional de *dikaiosune* que devemos observar aqui: sua raiz, *dikaio-*, pode ser traduzida por "justificação" em outros contextos. Esse significado traz consigo outro aspecto de fazer o que é certo. Na teologia cristã, Deus vem primeiro (Deus é *tov*, justo e cheio de graça). Somente pela graça de Deus, pela salvação e justificação em Cristo e pela dádiva do Espírito Santo podemos (1) conhecer a graça de Deus, (2) ser justos ou retos diante de Deus, (3) ser *tov*, e (4) fazer o que é correto.

Paulo expressa bem essa realidade em um parágrafo conhecido de Efésios: "Vocês são salvos pela graça, por meio da fé. Isso não vem de vocês; é uma dádiva de Deus. Não é uma recompensa pela prática de boas obras, para que ninguém venha a se orgulhar. Pois somos obra-prima de Deus, criados em Cristo Jesus a fim de realizar as boas obras que ele de antemão planejou para nós" (Ef 2.8-10).

De modo conciso, praticar justiça significa *receber poder do Espírito para fazer a coisa certa*. E *"a coisa certa" é o que Jesus ensina*. Já mencionamos esse tópico, portanto só é necessária uma breve lembrança. A vontade de Deus para nós é que sigamos os ensinamentos de Jesus, que o próprio Jesus resumiu como *amar Deus e amar o próximo*, ou, como Paulo ensina, viver no Espírito de Deus (Gl 5.13-26). Amamos Deus ao amar outros e fazer o que é correto.

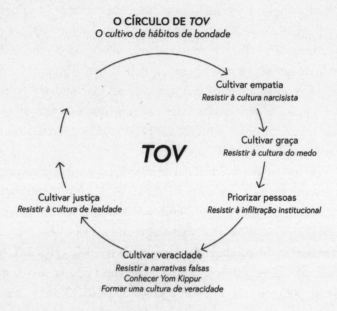

Como construir uma cultura de justiça

Quando igrejas se prendem a questões de lealdade, perdem de vista a prática do que é correto. Diante disso, o que podemos ensinar em nossas igrejas para ajudar a desenvolver dentro de sua cultura um paradigma piedoso de justiça?

Saiba identificar justiça

Uma cultura de justiça sabe o que é justiça: fazer a coisa certa na hora certa. "A coisa certa" sempre se conformará ao caráter e à vida de Jesus, bem como a sua missão de estabelecer o reino de Deus na terra. Uma cultura *tov* tem Jesus como padrão de comparação de bondade, retidão e justiça. Há algum tempo, era comum jovens usarem uma pulseira com as letras OQJF: "O que Jesus faria?". Ainda é um bom padrão e uma boa lembrança.

Anos atrás, quando eu (Scot) lecionava em outro seminário na região metropolitana de Chicago, tinha uma colega cheia de personalidade e vivacidade chamada Ruth Tucker. Ruth era autora de um livro muito conhecido sobre missões, e estava trabalhando junto com outro colega meu, Walt Liefeld, em um livro sobre mulheres na Bíblia e na igreja que também se tornou material de referência.

O que quase ninguém sabia na época era que Ruth estava em um casamento terrivelmente abusivo, e que ela escondia com roupas de manga comprida e gola alta a violência que sofria. Quando li o livro de Ruth chamado *Black and White Bible, Black and Blue Wife* [Bíblia em preto e branco, esposa em aflição], fiquei profundamente entristecido (como ficaram Laura e minha esposa, Kris) de saber do casamento abusivo de Ruth, mas também da vergonha que a obrigou a permanecer calada. Ao ler o livro, porém, foi motivo de orgulho ver que Ken Meyer, então presidente do seminário, descobriu o que estava acontecendo com Ruth e fez a coisa certa: ouviu, entristeceu-se e prometeu e proveu proteção.

Por fim, Ruth se desvencilhou do casamento abusivo e desenvolveu uma bela carreira como professora e autora, com personalidade e vivacidade de sobra. Vale a pena ler sua história.

Como o bom samaritano na conhecida parábola de Jesus, Ken Meyer fez a coisa certa. Viu uma injustiça, interveio de forma apropriada e ofereceu cuidado compassivo onde era necessário. O bom samaritano entendeu o que era correto mesmo quando os líderes da instituição religiosa se mostraram mais preocupados em proteger a própria reputação e, por assim dizer, seguir o caminho da lealdade a um conjunto de regras e regulamentos. Talvez o mais importante tenha sido que Ken *acreditou* em Ruth. Algo que eu (Laura) ouvi repetidamente de pessoas que sofreram abuso foi: primeiramente e acima de tudo, elas querem que outros acreditem nelas e, então, querem ser protegidas.

Reconheça injustiça

Uma cultura de justiça desenvolve percepções morais aguçadas para reconhecer injustiça. Por vezes, essa sensibilidade surge de nossa própria experiência. Nos primeiros dias da igreja, os cristãos judeus passaram por momentos difíceis. Tiago, irmão de Jesus, quase certamente sabia o que era crescer sem pai (para a maioria dos estudiosos, a ausência de José nos Evangelhos significa que ele havia falecido). Portanto, Tiago podia dizer: "A religião pura e verdadeira aos olhos de Deus, o Pai, é esta: cuidar dos órfãos e das viúvas em suas dificuldades e não se deixar corromper pelo mundo" (Tg 1.27). A propósito, em Israel no primeiro século, filhos eram considerados órfãos se haviam perdido um dos pais; logo, quando Tiago se refere a "órfãos" e "viúvas", sem dúvida está falando da experiência que sua família teve de caridade e justiça.

Conhecer um pouco da história da família de Tiago nos ajuda a entender melhor as palavras fortes que ele usa para os ricos que não pagam salário a seus trabalhadores. Sua experiência também o tornou sensível aos cristãos judeus pobres que eram menosprezados em cultos públicos. O segundo capítulo de Tiago poderia ter sido escrito em nossos dias para falar

IGREJAS *TOV* CULTIVAM JUSTIÇA • 189

de como nossas igrejas ricas, encantadas com celebridades, não fazem a coisa certa.

Meus irmãos, como podem afirmar que têm fé em nosso glorioso Senhor Jesus Cristo se mostram favorecimento a algumas pessoas? Se, por exemplo, alguém chegar a uma de suas reuniões vestido com roupas elegantes e usando joias caras, e também entrar um pobre com roupas sujas, e vocês derem atenção ao que está bem vestido, dizendo-lhe: "Sente-se aqui neste lugar especial", mas disserem ao pobre: "Fique em pé ali ou sente-se aqui no chão", essa discriminação não mostrará que agem como juízes guiados por motivos perversos?

Ouçam, meus amados irmãos: não foi Deus que escolheu os pobres deste mundo para serem ricos na fé? Não são eles os herdeiros do reino prometido àqueles que o amam? Mas vocês desprezam os pobres! Não são os ricos que oprimem vocês e os arrastam aos tribunais? Não são eles que difamam aquele cujo nome honroso vocês carregam?

Sem dúvida vocês fazem bem quando obedecem à lei do reino conforme dizem as Escrituras: "Ame seu próximo como a si mesmo". Mas, se mostram favorecimento a algumas pessoas, cometem pecado e são culpados de transgredir a lei.

Tiago 2.1-9

Temos aqui uma descrição vívida de cristãos que creem que Jesus é Messias e Senhor e, ainda assim, humilham os pobres ao pedir que se sentem no chão enquanto assentos confortáveis são reservados para os ricos. Uma vez que Tiago sabe o que é justiça, ele reconhece injustiça.

Ele não se atém, contudo, a reconhecê-la; entra na batalha e condena aqueles que cometem abuso e aqueles que lhes dão condições de fazê-lo. Os ricos estavam perseguindo os cristãos; os ricos estavam explorando os pobres; e os ricos estavam

190 • UMA IGREJA CHAMADA *TOV*

desonrando o nome de Jesus. E Tiago diz à igreja: "Vocês querem favorecê-los em seus cultos? Estão fazendo o contrário do que deviam. Façam a coisa certa!".

Pode ter certeza de que Tiago teve de pagar por dizer e fazer o que era correto, pois os ricos detinham todo o poder. Ainda assim, Tiago viu a injustiça e fez o que era correto em favor dos pobres. Os paralelos com nossos dias são claros.

Saiba que há consequências e prossiga

Aqueles que se propõem formar uma cultura de bondade e justiça fazem a coisa certa não obstante as consequências. Por vezes, isso significa reconhecer erros e confessar pecados e, por vezes, significa sofrer ataques e receber golpes. Pense em Robert Cunningham, que disse a verdade a respeito do que havia acontecido na Igreja Presbiteriana de Tates Creek. Pense em Rachael Denhollander e nas consequências que ela sofreu por haver confrontado abuso na igreja. Pense em todas as pessoas da Willow Creek e da Harvest Bible Chapel que sofreram reprovação, resistência e até assassinato de caráter ao persistir em denunciar os pecados de seus líderes. Fazer a coisa certa exige coragem. Uma igreja chamada *tov* é cheia de pessoas corajosas que fazem a coisa certa.

Conte histórias sobre fazer a coisa certa

Todos nós precisamos contar histórias de situações em que a justiça prevaleceu. E precisamos contar *toda* a história, e não apenas as partes que falam de vitória. (Lembre-se da abordagem da Bíblia, que também mostra os defeitos.) Você conhece, por exemplo, a história de Martin Niemöller?

Niemöller foi contemporâneo e colega do conhecido teólogo Dietrich Bonhoeffer na Alemanha de Hitler. Chamado a pastorear depois de uma bem-sucedida carreira militar como oficial em um submarino na Primeira Guerra Mundial, tornou-se fervoroso nacionalista alemão e se amargurou com o tratamento que os alemães receberam no Tratado de Versalhes. Como pastor, apoiava os Nacional-Socialistas, embora nunca tenha se tornado, oficialmente, membro do Partido Nazista. Em duas eleições, porém, votou em Hitler.

Quando teve início a perseguição, a princípio ele não defendeu os judeus em geral, mas apenas judeus cristãos, e levou tempo para ele reconhecer seu antissemitismo. No entanto, opôs-se a Hitler quando este atravessou a linha que dividia igreja e Estado, e protestou contra o movimento "Cristão Alemão", com sua mistura blasfema desses dois âmbitos. Foi preso pelos nazistas em 1937 por se mostrar contrário às imposições de Hitler sobre a igreja. Depois de ficar detido durante oito meses, aguardando julgamento, recebeu uma sentença de sete meses e, portanto, deveria ter sido solto em seguida. Em vez disso, porém, Hitler fez questão de enviá-lo para o campo de concentração de Sachsenhausen e, depois, para Dachau, onde permaneceu até 1945. No total, passou quase uma década preso.[19]

Depois da guerra, Niemöller exagerou a dimensão da oposição dele e de sua igreja a Hitler. Ainda assim, foi o primeiro membro da comunidade pastoral alemã a reconhecer publicamente, usando vocabulário e tom de confissão, que o povo alemão tinha culpa e que os pastores alemães não haviam se pronunciado contra Hitler com frequência suficiente, nem de modo claro o suficiente. Ele aprendeu com sua experiência, arrependeu-se e confessou seus erros. Teve seus próprios momentos de Yom Kippur e ficou conhecido por ter feito a coisa certa.

A vida de Martin Niemöller é um paradigma de transformação social, política e moral. A leitura de sua biografia pode ajudar pastores (especialmente) e outros a se tornar mais pacientes consigo mesmos e com os demais, e talvez os incentivar a contar suas histórias com honestidade, histórias de crescimento, de mudança de rumos e de fazer a coisa certa.

É possível que Niemöller seja mais conhecido por alguns versos que refletem sua consciência crescente de si mesmo. Ele usou diversas versões dessas linhas em palestras, e outras variações lhe foram atribuídas ao longo dos anos.

> Quando os nazistas vieram prender os comunistas, não me
> manifestei.
> Não era comunista.
> Quando vieram prender os sindicalistas, não me manifestei.
> Não era sindicalista.
> Quando vieram prender os judeus, não me manifestei.
> Não era judeu.
> Quando vieram me prender, não restava ninguém para se
> manifestar.[20]

Hoje, quando a maioria dos cristãos pensa na Alemanha e na igreja durante a Segunda Guerra Mundial, lembra-se de Dietrich Bonhoeffer. Mas por uma década ou mais depois da guerra, Martin Niemöller, e não Bonhoeffer, recebeu destaque.[21] Ele ensinou as pessoas a conhecer justiça a fim de reconhecer injustiça e fazer a coisa certa.

11
Igrejas *tov* cultivam serviço

Laura e eu, juntamente com nossos respectivos cônjuges, Mark e Kris, estávamos em Oxford, na Inglaterra, prontos para passar dois dias no lugar mais pitoresco de todos, uma região chamada Cotswolds. Essa parte do interior da Inglaterra se caracteriza por edifícios de pedra amarela e por belos campos e pastos onde se vê, aqui e ali, gado e ovelhas, separados por muros antigos de pedra construídos à mão.

Para explorar essa região, alugamos um carro bastante parecido com o que temos nos Estados Unidos. Era confortável o suficiente para quatro pessoas, tinha ar-condicionado, sistema de som, direção hidráulica, vidros elétricos e computador de bordo, com uma tela de GPS visível para motorista e passageiros (para que pudessem dar palpites ao motorista). Só havia um problema... bem, dois, na verdade. O volante ficava do lado do passageiro, e tínhamos de dirigir do lado errado da rua. Claro que essa é minha perspectiva americana enviesada, mas talvez vocês me perdoem por meu viés, pois tudo era *exatamente igual* e, ao mesmo tempo, *completamente diferente*. Quando chegava a uma esquina, tinha de superar décadas de hábitos e instintos e olhar para o lado oposto da rua. Quando virava a esquina, dava marcha ré ou estacionava, tudo era parecido, mas também era tão diferente que dirigir umas poucas horas deixava todos no carro exaustos.

O pastor que se coloca como centro da atenção e o pastor que serve aos membros da igreja têm o mesmo equipamento básico. Ambos pregam e ensinam, criam comissões, compartilham sua visão, administram missões, motivam e incentivam os membros e fazem todas as outras coisas esperadas do pastor. E, no entanto, não poderiam ser mais distintos um do outro.

Em uma cultura tóxica, o pastor-celebridade encontra uma forma de fazer com que tudo produza elogios para ele: sua visão, seu ministério, seu sucesso, sua glória. Talvez não o diga de forma tão descarada, mas se olharmos um pouco abaixo da superfície veremos que as pessoas não importam, o que importa é a instituição; poder e medo dominam a cultura; as únicas narrativas apresentadas são aquelas que apoiam a visão e o sucesso do pastor; e a lealdade é a virtude suprema.

Para o pastor-servo, tudo é diferente. A cultura de serviço volta as pessoas umas para as outras, em vez de voltá-las para si mesmas. As pessoas são prioridade, a graça é importante, a primeira reação é de empatia, a verdade é dita, e fazer a coisa certa dá forma à missão da igreja.

É bom deixar claro que o tamanho da igreja não importa. O que importa é o tamanho do ego do pastor.

Considere o seguinte: Em uma igreja *tov*, os líderes maximizam seus dons quando *capacitam outros* a maximizar os dons deles. Como Paulo diz em Efésios 4.11-13: "[Cristo] designou alguns para apóstolos, outros para profetas, outros para evangelistas, outros para pastores e mestres. Eles são responsáveis por preparar o povo santo para realizar sua obra e edificar o corpo de Cristo, até que todos alcancemos a unidade que a fé e o conhecimento do Filho de Deus produzem e amadureçamos, chegando à completa medida da estatura de Cristo". De modo semelhante, líderes *tov* capacitam e incentivam todos no corpo de Cristo a "motivar uns aos outros na prática do amor e das boas obras" (Hb 10.24).

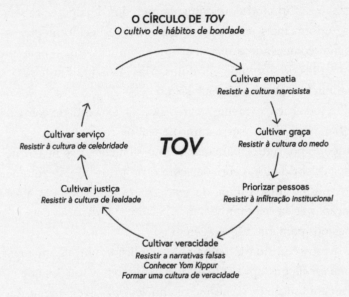

O equilibrismo do serviço

Quatro versículos do Evangelho de Marcos nos dizem o que precisamos ouvir. Quando Jesus percebeu que seus amigos mais chegados estavam competindo entre si por honra e fama, tentando obter os lugares mais próximos de Jesus no reino de Deus, ele disse o seguinte a respeito de sua vida encarnada:

> Vocês sabem que os que são considerados líderes neste mundo têm poder sobre o povo, e que os oficiais exercem sua autoridade sobre os súditos. Entre vocês, porém, será diferente. Quem quiser

ser o líder entre vocês, que seja servo, e quem quiser ser o primeiro entre vocês, que se torne escravo de todos. Pois nem mesmo o Filho do Homem veio para ser servido, mas para servir e dar sua vida em resgate por muitos.

Marcos 10.42-45

Jesus era inteiramente avesso à cultura de celebridade que estava se formando rapidamente ao redor de alguns de seus seguidores mais próximos. Tiago e João, especificamente, estavam começando a imaginar que eram as figuras mais importantes do grupo de apóstolos. Mas Jesus mudou todos os parâmetros que eles deviam seguir.

A tentação é evidente: A preocupação e o cuidado com nós mesmos precisam ser contrabalançados com preocupação e cuidado por outros para que, em nossa mente, não nos tornemos celebridades inebriadas com o próprio ego. No entanto, até mesmo uma atitude de serviço tem tentações, e a abnegação precisa ser contrabalançada com preocupação com nós mesmos para que não exageremos.

É possível que já tenha sido publicada em algum lugar uma escala que apresente os dois extremos — aqueles que vivem em função de si mesmos e aqueles que vivem em função de outros —, mas para o propósito de nossa discussão usarei o diagrama simples abaixo para mostrar como pastores e membros da igreja, como grupo e como indivíduos, precisam buscar o equilíbrio entre cuidar de si mesmos e servir a outros ao criar uma igreja chamada *tov*.

PASTORES

Preocupados em agradar outros ———————————— Celebridades

Servem a outros ———————————— Servem a si mesmos

IGREJAS
Tov

IGREJAS *TOV* CULTIVAM SERVIÇO • 197

Alguns pastores e membros de igreja pendem mais para a esquerda, e outros mais para a direita; alguns pendem mais para o serviço a outros, e alguns mais para o serviço a si mesmos; alguns pendem mais para agradar outros, e alguns mais para o narcisismo e a celebridade. De modo semelhante, algumas igrejas famosas imaginam que sua igreja é, verdadeiramente, a melhor e (talvez) a única igreja fiel no mundo inteiro. Em contrapartida, algumas igrejas são tão dedicadas ao serviço a outros que se esgotam na tentativa de agradá-los. Não ficam paradas refletindo sobre sua grandeza, mas têm a tendência de se exaurir a ponto de desistir (ou desejar de que outros assumam os desafios do serviço).

Em uma igreja *tov* há um belo equilíbrio entre indivíduos e a igreja como um todo. Os membros são servidos e servem a outros. Pastores são servidos e servem. Igrejas são servidas e servem. É um equilibrismo cheio de tentações, especialmente para aqueles que têm forte (e nobre) foco voltado para o serviço a outros.

Tentações em igrejas voltadas para o serviço

O desejo de criar uma cultura voltada para o serviço na igreja é acompanhado de um grande risco ou de uma possível armadilha, a saber, servir para ser *visto* ou *elogiado*.

A primeira possível manifestação desse problema se dá quando o serviço é levado a extremos heroicos: entregar todo o dinheiro, vender a casa e as roupas e dedicar-se a uma vida de sacrifício a fim de servir aos mais pobres dentre os pobres — tudo acompanhado de comunicados à imprensa. Afinal, Jesus não disse ao jovem líder rico que vendesse todos os seus bens e desse o dinheiro aos pobres (Mt 19.21)? Quando o maior ato cristão é servir a outros, algumas pessoas buscam grandeza por meio do serviço. Contudo, buscar *grandeza* não é *tov*.

A segunda forma talvez seja mais comum: chamar atenção para o quanto nosso serviço é sacrificial. Em pouco tempo, começamos a contar histórias sobre sacrifícios em que nós (como indivíduos ou como igreja) somos os protagonistas, ao som de fortes aplausos de louvor próprio. Essa abordagem à vida cristã de serviço não é verdadeiro serviço; é uma ramificação da cultura de celebridade. É uma tentativa de ser heroicos ao parecer o oposto da norma heroica, ao mesmo tempo que nos parabenizamos. Isso não é *tov*, e Jesus falou a esse respeito claramente:

> Quando ajudarem alguém necessitado, não façam como os hipócritas que tocam trombetas nas sinagogas e nas ruas para serem elogiados pelos outros. Eu lhes digo a verdade: eles não receberão outra recompensa além dessa.
>
> Mateus 6.2

Como evitar ser atraídos para dentro do círculo de celebridade, heroísmo e contribuição acompanhada de autoelogio? Jesus também trata dessa questão:

> Mas, quando ajudarem alguém necessitado, não deixem que a mão esquerda saiba o que a direita está fazendo. Deem sua ajuda em segredo, e seu Pai, que observa em segredo, os recompensará.
>
> Mateus 6.3-4

Igrejas que formam uma cultura de serviço atentam com rigor para essas palavras de Jesus.

Mesmo que contribuamos com intenções puras e evitemos as armadilhas descritas acima, precisamos sempre ter consciência dos efeitos de nosso serviço sobre aqueles a quem servimos.

IGREJAS *TOV* CULTIVAM SERVIÇO • 199

Calvin Miller, conhecido autor, pastor e professor que faleceu em 2012, sofreu extrema pobreza na infância e adolescência no final da Grande Depressão. Ele e sua família receberam com gratidão o auxílio que lhes foi oferecido durante aqueles anos, mas também se sentiram constrangidos em razão de sua necessidade e conscientes das motivações por trás da caridade. Ao observar a ironia da situação, posteriormente ele escreveu em suas memórias, *Life Is Mostly Edges* [Uma vida de muitas arestas]:

> Só me sentia especialmente pobre quando os ricos apareciam em dezembro e nos davam uma cesta de Natal. Cada vez que eles vinham a nossa casa, "tentavam nos ganhar para Cristo". Creio que eram bem-intencionados e desejavam nos manter fora do inferno até o Natal seguinte. [...]
>
> Nem é preciso dizer que nós, crianças, não queríamos ir àquelas igrejas que traziam as cestas. O último lugar em que desejávamos prestar culto era onde as pessoas sabiam que éramos pobres, para que elas se sentissem ricas ao distribuir auxílio. Há algo de grandioso em dar uma moeda a um mendigo, mas não há nada de grandioso em recebê-la. Mendigos não pedem dinheiro para se sentir bem consigo mesmos; pedem porque se sentir mal consigo mesmos é menos doloroso que morrer de fome.[1]

Podemos evitar essas armadilhas ao criar uma cultura autêntica de serviço que permeie nossa vida e a vida da igreja, uma cultura em que ações comuns de serviço sejam a norma a todo o tempo, sem necessidade de congratulação e aclamação.

Tov é comum

O próprio conceito de *tov*, bondade, é arraigado nas coisas comuns. Por certo, podemos fazer coisas boas, mas *bondade* deixa implícito o caráter contínuo de coisas boas, a ponto de se

200 • UMA IGREJA CHAMADA *TOV*

tornarem comuns, ou aquilo que a poetisa e ensaísta Kathleen Norris chama "cotidianas".[2] Paula Gooder propõe que precisamos de uma "espiritualidade de trivialidade".[3]

Uma vida de serviço a outros não é heroica. Antes, é feita de pessoas comuns que ajudam pessoas comuns que, por acaso, cruzam seu caminho ao longo da jornada da vida. É família que serve a família. É vizinho que ajuda vizinho. São pastores comuns que servem a pessoas comuns na igreja. São membros comuns da igreja que servem, igualmente, a pessoas comuns de dentro e de fora da igreja. É fazer por outros coisas comuns porém necessárias, essenciais. Somos tentados demais a ser heroicos e a glorificar a celebridade.

Em alguns aspectos, em nossa cultura contemporânea, *comum* adquiriu a conotação de algo que "não é bom o suficiente". Sejamos sinceros: a maioria das pessoas é mediana, pois é isso que mediano significa, mas ser mediano é considerado por muitos uma condição inaceitável. No boletim da escola, uma nota 7 se parece com 5 para muita gente, e até mesmo 8 é um insulto, pois todos querem (e imaginam que merecem) nota 10. Todos imaginam que estão acima da média. Reflita por um momento e você entenderá o quanto é absurdo o que está acontecendo em nossa cultura. Não podemos ser todos especiais, pois, se fosse o caso, *especial* significaria comum, e precisaríamos de outra palavra para nos destacar. E até mesmo *especial* adquiriu uma conotação que não parece tão desejável; no fim das contas, portanto, talvez devamos ser comuns.

O filósofo Dallas Willard falou do "segredo obviamente bem guardado do 'comum'", a saber, "que [o comum] foi criado para ser receptáculo do divino, um lugar em que a vida de Deus flui".[4] John Ortberg, aluno e amigo de Willard, observou que "era o tamanho do caráter comum [de Dallas] que tornava tão impressionante o que ia além do comum, o *extra*ordinário [...] O 'extraordinário' [...] lhe dava compostura, uma atitude brincalhona, de admiração e tranquilidade, que fazia as pessoas ao seu redor sentir de modo um pouco mais forte o caráter extraordinário delas próprias".[5] Não há nada de errado em ser comum, e é isso que significa servir a outros.

Dwight Moody é um bom exemplo de pastor famoso que fazia coisas comuns.

Em um dos congressos bíblicos em Northfield, Massachusetts, Moody recebeu um grupo grande de pastores da Europa. Os pastores ficaram hospedados em um dormitório e, seguindo o costume europeu, deixaram os sapatos do lado de fora da porta durante a noite, com a expectativa de que um serviçal os limpasse e engraxasse antes do amanhecer. Só que estavam em Massachusetts, e não na Inglaterra. Não havia serviçais para realizar essa tarefa.

Contudo, Moody reparou nos sapatos. Não quis causar constrangimento aos pastores em razão de sua ignorância cultural, nem quis repreendê-los por presunção. Em vez disso, sem alarde, juntou os sapatos, levou-os para o seu quarto e os engraxou. Na manhã seguinte, os pastores amigos de Moody pegaram seus sapatos bem lustrados sem fazer ideia do serviço humilde que Moody havia lhes prestado.

Mas a história não termina aí. A atitude de serviço é contagiosa.

Um dos pastores tinha visto o que Moody fizera em segredo. Espantado, contou mais tarde a alguns de seus colegas. E, daquela noite em diante, uma conspiração de serviço tomou conta do trabalho de limpeza dos sapatos. Discretamente, pastores se revezaram para lustrar os sapatos de seus colegas durante o restante do congresso.[6]

Isso sim é *tov*, não concorda?

Resistir à cultura de celebridade

Mais adiante neste capítulo voltaremos a tratar da formação de uma cultura de serviço. No momento, desejo me aprofundar na cultura de celebridade à qual precisamos resistir. Não faltam tentações para pastores e líderes para que se movam em direção ao lado direito da escala da página 196. Quanto mais nos encaminhamos para esse lado da escala, maior é a probabilidade de sermos acometidos da "síndrome de celebridade" que sustenta a cultura de celebridade. Temos de aprender, portanto, a manter distância dessa cultura.

Antes de examinarmos dez elementos que definem a "síndrome de celebridade", cabe repetir mais uma vez que a cultura de celebridade não tem relação com o tamanho da igreja. Nem todos os pastores de igrejas grandes ou megaigrejas são celebridades, e algumas pequenas igrejas rurais têm pastores que *pensam* que são celebridades. Como dissemos, o que importa não é o tamanho da igreja, mas o tamanho do ego do pastor.

Claro que celebridades não se formam sozinhas. Por trás de cada pastor-celebridade se encontram membros da igreja que o veneram e que amam e apoiam o ambiente de celebridade. O desenvolvimento de uma cultura de celebridade não ocorre de um dia para o outro. Começa quando o pastor tem uma *ambição que o motiva a buscar fama*, mas só cria raízes quando os membros da igreja apoiam essa ambição. Infelizmente, muitos *querem* que seu pastor seja um herói espiritual ou, em algum nível, uma celebridade. Esse é não apenas seu desejo, mas, com frequência, sua expectativa e aquilo em que acreditam a respeito de seu pastor. Alguns pastores devoram essa atenção e a levam um passo adiante. Ambicionam se tornar *conhecidos* e sonham permanecer "onde os holofotes me iluminam", como diz a canção de Glen Campbell "Rhinestone Cowboy" [Caubói de strass]. A celebridade não acontece por acaso; acontece de forma intencional. Em certa medida, precisa ser *buscada*, ao cultivar uma imagem, amizades, redes de conhecidos, promotores e outras celebridades que propagandeiem seus colegas.

Apesar da imagem que pastores-celebridades tentam projetar, convém observar que, em geral, eles *não servem a outros verdadeiramente*, pois a tendência das celebridades é se considerar superiores. Estão acima e além das pessoas de sua igreja. Lá no alto de seus pedestais, é impossível não imaginarem que são *melhores* que as pessoas de sua igreja. São tratados como tal e começam a acreditar nessa ideia. Considere o seguinte trecho do relatório da *Avaliação de Governança de Willow Creek*, que analisou questões de liderança na igreja ente 2014 e 2018:

> Para muitos, o pastor titular era uma figura imponente. A maioria dos membros do conselho o tratava com deferência, o que tornava difícil para alguns presbíteros questioná-lo em reuniões. Alguns dos presbíteros consideravam que, mesmo sem querer, davam-lhe tratamento especial e evitavam discutir alguns assuntos importantes para não criar conflitos. Alguns membros do conselho se sentiam inseguros quando o pastor titular estava presente. Tinham a impressão de que estavam em uma reunião de diretoria com uma celebridade.[7]

Os membros do conselho tratavam Bill Hybels como celebridade? A nosso ver, com certeza. Expectativas comuns se aplicavam a ele? Ao que parece, não. Os presbíteros lhe davam tratamento especial e evitavam assuntos importantes. Tudo indica que ele ditava as regras. Eles o tratavam como se fosse alguém famoso? Sim, e ele era. Tinham dificuldade de se relacionar bem com ele? Mais uma vez, a resposta é sim. Bill Hybels era uma celebridade, mas, o que é igualmente importante, os membros do conselho *o tratavam* como tal. Pode se dizer o mesmo de outros pastores de megaigrejas e até mesmo de alguns pastores de igrejas pequenas em cidades pequenas que desejam ser celebridades e esperam ser tratados como tal. Qualquer "serviço" que esses pastores-celebridades prestem a outros é, com frequência, matizado por autopromoção. Não servem nos bastidores; servem para ser vistos e para alimentar seu ego.

Pastores-celebridades vivem em função de comparações, o que significa que se encontram em *competição* uns com os outros em um jogo chamado "Quem tem?".

Quem tem os melhores sermões?

Quem tem os melhores esboços?

Quem tem a teologia mais profunda?

Quem tem a maior igreja?

Quem tem as maiores oportunidades nos palcos dos maiores congressos?

Quem tem o maior *feed* no Twitter?

Quem tem mais amigos no Facebook?

Quem tem mais *best-sellers* no mercado editorial?

Quem tem mais benefícios em seu cargo?

Quem tem? Quem tem? Quem tem? É uma rodinha de *hamster* que nunca para. Certa vez, ouvi um líder evangélico dizer que tinha "o dom de intimidar outros". O mais triste é que era verdade e que ele se orgulhava disso. Gostava de imaginar que estava vencendo no jogo de "Quem tem mais poder?". Mas aqueles que vão nessa onda de "Quem tem?" estão no jogo errado.

Uma vez que as celebridades se consideram superiores e

vivem cercadas de pessoas que as tratam como se fossem superiores, é fácil começarem a imaginar que regras e padrões comuns não se aplicam a elas. Confiam que alguém encobrirá suas falhas, criará justificativas para seus pecados e preparará o caminho para sucesso futuro. Gritam e berram com outros, e seu comportamento agressivo é ignorado. Quando não é ignorado, é desculpado. "Ele é tão ambicioso", ouvi de algumas pessoas que facilitam essas condutas indevidas do pastor-celebridade e inventam desculpas para elas.

Pastores-celebridades querem que *todo* domingo seja um evento de arrasar. Querem que seja como atravessar o mar Vermelho, receber a lei no monte Sinai, construir o templo e ver a glória de Deus entrar ali. Querem o Nascimento, a Ressurreição, a Ascensão e a Segunda Vinda combinados em um só pacote. Pastores-celebridades querem que todo domingo seja de glória, fumaça e trombetas. Querem que a música seja a melhor de todos os tempos, que os vocalistas sejam melhores que os do ano passado e que a participação cresça continuamente. Quanta presunção americana.

Mary DeMuth escreveu um texto bastante refletido chamado "Dez maneiras de identificar abuso". Sim, ela aponta para o pastor no centro, mas também ressalta a cultura responsável pela criação de celebridades eclesiásticas.

> Morei no exterior e vi a igreja americana de longe, e não teria enxergado essa cultura de celebridade se não tivesse ido para outros lugares. Somos, até o âmago, uma cultura fundamentada em bens de consumo e em fama. Reunimo-nos ao redor de gurus, projetamos sobre eles nossas necessidades e nos atrelamos a quem tem popularidade. *Contribuímos para a cultura de celebridade simplesmente ao precisar dela, exigi-la e alimentá-la.*[8]

206 • UMA IGREJA CHAMADA *TOV*

Pastores-celebridades não brotam em igrejas voltadas para o serviço. Precisam do solo tóxico de uma cultura eclesiástica motivada por celebridade. Amy Simpson, em um artigo para a *Christianity Today*, faz um comentário perceptivo sobre a síndrome de celebridade:

> Entre os fatores por trás do fracasso de James MacDonald, Mark Driscoll e outros se encontra o hábito de marginalizar agressivamente os críticos e cercar-se de pessoas que reforcem sua sensação de celebridade e removam obstáculos de seu caminho.[9]

Andy Crouch, editor executivo da *Christianity Today* e perspicaz observador de líderes cristãos, afirma que celebridades poderosas colocam distância entre si e a prestação de contas, ao mesmo tempo que criam um personagem que outros pensam conhecer bem:

> Essa parte do problema — a distância inerente ao poder e os efeitos de distorção que ela exerce sobre os poderosos — é antiga e nunca deixará de existir. Ela é intensificada, porém, por algo verdadeiramente novo: o fenômeno da celebridade. A celebridade combina a distância inerente ao poder com o que parece ser exatamente o oposto: proximidade extraordinária, ou, pelo menos, uma fascinante simulação de proximidade.
>
> É o poder do rosto que ocupa todo quadro do vídeo; da voz sedutora que sussurra ao microfone; da autobiografia cheia de revelações que o autor nunca dividiu com seu pastor, com seus pais ou, por vezes, nem mesmo com seu cônjuge ou amante; o *tweet*, o *selfie*, o *insta*, o *snap*. Tudo isso nos permite ter a impressão de que conhecemos alguém sem, realmente, saber muita coisa a seu respeito, pois, no fim das contas, sabemos apenas o que essa pessoa, e os sistemas de poder que se desenvolvem ao seu redor, escolheram que saibamos.[10]

Entre os indicadores mais claros desse fenômeno estão as telas instaladas em muitas igrejas de hoje que aproximam e ampliam (uma expressão melhor seria "mega-ampliam") a imagem do pastor ou do palestrante, instruído a olhar para a câmera a fim de que as pessoas sintam que ele está falando diretamente com elas. Parece tão próximo. (Não é.) Chuck De-Groat, em seu livro *When Narcissism Comes to Church* [Quando o narcisismo vem à igreja], chama isso "falsinerabilidade", ou "uma forma distorcida de vulnerabilidade".[11]

É natural, portanto, que celebridades ajudem a criar ao redor de si mesmas um *culto à personalidade*. Kate Bowler, em seu excelente livro *The Preacher's Wife* [A esposa do pregador], sobre celebridades femininas evangélicas, fornece a seguinte definição perceptiva: "Uma celebridade é alguém que busca ativamente a atenção pública, que cativa a mídia e desenvolve uma rede de apoiadores e de outras estrelas que manufaturam reconhecimento geral".[12] É isso que todo pastor-celebridade quer: "reconhecimento geral". O objetivo é fama, glória e o palco central.

Bowler observa que uma celebridade é "uma pessoa e um produto".[13] As palavras de Simon e Garfunkel em 1964 parecem assustadoramente prescientes da presente era, em que igrejas contam vantagem de seus pastores-celebridades a ponto de beirar a idolatria: "E as pessoas se curvaram e oraram / Para o deus de neon que criaram".[14]

Deixe-me fazer algumas perguntas: Quem era o pastor em Tessalônica? Em Corinto? Em Bereia? Em Éfeso? Na Galácia? Talvez haja um motivo muito bom para não sabermos: eles não eram celebridades! Até mesmo os nomes que conhecemos (Paulo, Barnabé, Silas, Tito e Timóteo) não são de pastores que construíram impérios para si. Antes, são de homens que

208 • UMA IGREJA CHAMADA *TOV*

enfrentaram dificuldades e provações tremendas enquanto procuravam plantar igrejas e anunciar as boas-novas de Jesus.

O lado sórdido da celebridade é que ela produz *inveja* de qualquer um que possa invadir território e *ciúme* de sua própria glória. A seu ver, para que haja um vencedor tem de haver um perdedor. "Ou eu sou a celebridade ou ele é, e eu quero aquele pedestal." Orgulho, inveja e ciúme formam uma aura característica ao redor da celebridade.

À medida que o pastor adquire mais visibilidade e proeminência, a aura de celebridade também se estende para os membros da igreja, que começam a se considerar uma "igreja-celebridade": famosa, melhor que a maioria ou que todas as outras, acima de críticas e constituída de seguidores exemplares de Jesus. Mas é aí que a coisa se complica: Quando o pastor e a igreja se tornam celebridades, quando visibilidade, fama, reputação e nome assumem a dianteira, a igreja deixa de priorizar pessoas (se é que o fazia antes), a empatia deixa de dar forma à cultura, a graça é subvertida, a verdade deixa de ser instintiva e, em vez de fazer a coisa certa, a igreja procura realizar ações que contribuam para sua glória. Essa cultura se torna tóxica e potencialmente abusiva, especialmente para aqueles que questionam ou contestam o pastor narcisista no comando.

Talvez a primeira e mais importante coisa que possamos fazer para tratar da síndrome de celebridade é sair dessa roda-viva. Para começar, podemos internalizar estas três declarações:

1. Não existe um *pastor mais importante* em uma denominação, região ou país.
2. Não existe uma *igreja mais importante* em uma denominação, região ou país.

3. "Pastor-celebridade" e "igreja-celebridade" são expressões contrárias ao modo de viver de Jesus (e, aliás, entristecem profundamente o coração dele).

O desejo de ser o "mais importante" segue o jogo de Hollywood, e não a vida cruciforme de Jesus. Seu pastor, por mais querido que seja, não é o pastor mais importante, mas é seu pastor, e é só isso que importa.

Jesus, a anticelebridade

Há somente uma pessoa que merece glória, honra e louvor: Jesus, nosso Senhor e Rei. Ele se recusou a entrar no jogo da celebridade, e não fez rodeios ao se dirigir aos fariseus de sua época que corriam atrás de fama:

> Tudo que fazem é para se exibir. Usam nos braços filactérios mais largos que de costume e vestem mantos com franjas mais longas. Gostam de sentar-se à cabeceira da mesa nos banquetes e de ocupar os lugares de honra nas sinagogas. Gostam de receber saudações respeitosas enquanto andam pelas praças e de ser chamados de "Rabi".
>
> Mateus 23.5-7

Jesus foi o primeiro a fazer a piada sobre celebridades "conhecidas por sua fama" e que gostam de ser vistas. Os fariseus usavam filactérios maiores para ter certeza de que outros reparariam neles. Gostavam de ocupar os lugares mais importantes e andar com outras celebridades. E nada lhes dava mais prazer que ser chamados "rabi", que significa "meu mestre" ou "meu senhor". É como ser chamado "doutor", "professor", "reverendo" ou "pastor" hoje em dia.

Jesus era ferrenhamente avesso a essa exibição descarada.

210 • UMA IGREJA CHAMADA *TOV*

Um bom título para ele era "servo" ou "escravo". Ele era o Servo de todos os servos. O apóstolo Paulo também era contra títulos desse tipo. Qualquer um que se refere a outros como "obreiras do Senhor" e "colaboradores de Deus" e a si mesmo como "escória do mundo" é, sem dúvida alguma, contra a ostentação de títulos e a promoção de celebridades (Rm 16.12; 1Co 3.9; 4.13).

Serviço humilde é o propósito de Jesus para todos os seus seguidores, pois era o propósito do Pai para ele. Ele ensinou serviço porque seus próprios discípulos queriam ser celebridades.

Observe com atenção Marcos 10.32-45, que pinta uma imagem reveladora da guerra em andamento entre celebridade e humildade.

Primeiro, preparemos o cenário:

> Por esse tempo, subiam para Jerusalém, e Jesus ia à frente. Os discípulos estavam muito admirados, e o povo que os seguia tinha grande temor. Jesus chamou os Doze à parte e, mais uma vez, começou a descrever tudo que estava prestes a lhe acontecer.
>
> "Ouçam", disse ele. "Estamos subindo para Jerusalém, onde o Filho do Homem será traído e entregue aos principais sacerdotes e aos mestres da lei. Eles o condenarão à morte e o entregarão aos gentios. Zombarão dele, cuspirão nele, o açoitarão e o matarão, mas depois de três dias ele ressuscitará."

Declarações solenes. O que esperaríamos encontrar logo no versículo seguinte? Provavelmente, não estas palavras: "Então Tiago e João, filhos de Zebedeu, vieram e falaram com ele: 'Mestre, queremos que nos faça um favor'".

Jesus, aquele que havia acabado de anunciar sua morte, responde: "Sério, gente? Que favor é esse?". ("Sério, gente?" foi um acréscimo nosso. Mas dá para imaginar o que Jesus estava pensando.)

Tiago e João declaram: "Queremos nos sentar em lugares de honra ao seu lado, um à sua direita e outro à sua esquerda".

O que eles dizem é inconfundível: "Queremos ser celebridades no reino de Deus. Queremos ser conhecidos, famosos, parte de seu círculo mais próximo, de sua comitiva".

Jesus diz: "Vocês não sabem o que estão pedindo! São capazes de beber do cálice que beberei? São capazes de ser batizados com o batismo com que serei batizado?".

Essa é uma pergunta astuta. Ele quer que o desejo deles fique ainda mais evidente.

Tiago e João respondem: "Somos!".

Qualquer coisa que você seja capaz de fazer, nós também somos. Essa é a linguagem de quem busca celebridade.

Jesus sonda o desejo deles em profundidade muito maior do que esperavam, e diz: "De fato, vocês beberão do meu cálice e serão batizados com o meu batismo. Não cabe a mim, no entanto, dizer quem se sentará à minha direita ou à minha esquerda. Esses lugares serão daqueles para quem eles foram preparados".[15]

Em outras palavras: "Vocês não fazem ideia do que estão pedindo, pois não fazem ideia do que estou prestes a enfrentar. Portanto, deixe-me esclarecer: 'Vocês não são capazes!'".

Agora, Jesus revela a profundidade de seu caráter, de sua missão e de seu caminho e mostra qual deve ser o modo de vida de todos os seus seguidores (o que inclui os pastores e as igrejas de hoje):

Vocês sabem que os que são considerados líderes neste mundo têm poder sobre o povo, e que os oficiais exercem sua autoridade sobre os súditos. Entre vocês, porém, será diferente. Quem quiser ser o líder entre vocês, que seja servo, e quem quiser ser o

212 • UMA IGREJA CHAMADA *TOV*

primeiro entre vocês, que se torne escravo de todos. Pois nem mesmo o Filho do Homem veio para ser servido, mas para servir e dar sua vida em resgate por muitos.

Marcos 10.42-45

Celebridades querem glória e fama. Jesus quer seguidores que abram mão de glória e fama para se dedicar a uma vida de serviço. Pastores não são celebridades e igrejas não são celebridades. Pastores, líderes e igrejas devem ser conhecidos em virtude das mesmas características pelas quais seu Senhor e Salvador é conhecido: sacrifício por amor a outros. Serviço. Disposição de servir.

Sacrifício por amor a outros

Calvin Miller, em suas memórias, conta uma história que merece ser relatada aqui, pois expressa muito bem a diferença entre a cultura de celebridade e a cultura voltada para o serviço. A narrativa começa logo depois que o presidente do seminário em que Miller lecionava foi demitido.

Ele foi substituído quase de imediato por outro presidente, aparentemente do agrado do conselho curador. Não fazia muito tempo que o novo presidente estava no cargo, quando um pintor foi contratado para pintar seu retrato e colocá-lo no átrio do seminário, onde ficam os retratos dos presidentes anteriores. Não tenho nada específico contra a prática de pintar retratos para que sejam colocados em um lugar de honra nos venerados corredores de instituições de ensino superior. Mas essa pintura sempre chamava minha atenção. Cada vez que eu passava pelo átrio, eu a estudava. Veio a representar todo o mal presente no fato de que homens bons morrem e outros os substituem. Denominações costumam pintar retratos de seus líderes e, muitas vezes, a vida desses indivíduos não é tão digna quanto a dos alunos desconhecidos que passam pelos corredores ladeados por essas pinturas para assumir seus postos no perigoso mundo de ministério e serviço.[16]

Essa é a primeira parte da história, em que o autor prepara o terreno muito bem.

Logo depois que o novo retrato foi pendurado, tive a oportunidade de visitar a Universidade Internacional de Columbia, na Carolina do Sul. Ao passar por um dos corredores da universidade, notei um salão. Suas paredes estavam cobertas por retratos de homens e mulheres. Um dos alunos da universidade estava passando por lá e me viu olhando as pinturas.

— São retratos de presidentes anteriores? — perguntei.

— Presidentes! — ele quase gritou, como se eu o houvesse insultado. — Não são presidentes, não. São as *pessoas importantes* que se formaram aqui. Cada pintura nesta sala é o retrato não apenas de um ex-aluno, mas de um mártir.

— Quer dizer que todas as pessoas nessas pinturas morreram por Jesus em alguma parte do mundo, debaixo de perseguição de algum tipo?

— Exatamente. Leia as legendas.

Foi o que fiz. Ao lado de cada retrato havia uma pequena placa que informava onde a pessoa havia morrido e que preço havia pagado por seu serviço.

— Extraordinário — comentei. E pensei no novo retrato pendurado recentemente no átrio. — Em nossa universidade, penduramos retratos de nossos presidentes.

— Presidentes! Em nossa universidade penduramos retratos de nossos mártires.[17]

Essa doeu.

214 • UMA IGREJA CHAMADA *TOV*

Sugestões para desenvolver uma cultura de serviço

Um novo programa vistoso não forma uma cultura. Começar um ministério de compaixão e justiça em sua igreja não criará, automaticamente, uma cultura de serviço. Esse tipo de cultura se forma quando o pastor, outros líderes e a congregação desenvolvem a atitude de servos. Uma atitude de serviço implica abrir mão de honra, tempo e prestígio por amor a outra pessoa. (E não precisa ser uma pessoa em situação de rua.)

Alguns têm obsessão com pessoas em situação de rua, ou com os mais pobres dos pobres. Raciocinam que, pelo fato de Jesus haver ministrado aos leprosos e pobres, os mais humildes de sua cultura (na verdade, a maior parte do povo era pobre, mas os leprosos eram os verdadeiros excluídos), a fim de que nosso serviço seja autêntico, devemos atender aos mais necessitados de nossa sociedade.

Não há nada de errado em servir àqueles que vivem nas ruas. Contudo, precisamos entender a questão mais ampla: Jesus servia a *todos* com quem deparava ao longo do caminho (como na história do bom samaritano). A espontaneidade do serviço de Jesus irritava os discípulos, mas fazia parte da *missão* dele. O serviço é medido por nossa disposição de negar a nós mesmos por amor a outros. Não é medido pela condição (humilde) daqueles a quem servimos, mas por nossa disposição de nos *entregar* (nosso tempo, recursos, dons, talentos e presença) por outros.

Líderes conduzem outros a servir

A formação de uma cultura de serviço na igreja começa com o *serviço dos líderes*. Cada pastor, líder de ministério e coordenador deve servir a outros. Com o tempo, os líderes conduzem outros a servir. E, com o tempo, o serviço se torna um hábito na igreja quando os líderes conduzem outros a servir.

Uma amiga minha (Laura) relatou pouco tempo atrás que estava andando pelo corredor da igreja e, ao passar pelo berçário, olhou para dentro de relance. Ficou surpresa e comovida ao ver o pastor titular segurando bebês no colo — e com habilidade! Em uma igreja com uma cultura de serviço, não deve surpreender que pastores e outros líderes sirvam em cargos despretensiosos.

Isso é liderança.

Isso é *tov*.

Eu (Scot) tenho um amigo próximo chamado Mike Glenn que pastoreou por um bom tempo uma megaigreja em Nashville, Tennessee. Em seu livro recente, *Coffee with Mom* [Café com a mamãe], Mike fala da ocasião em que levou de mudança sua mãe, que sofria de Alzheimer e nem sempre cooperava muito, do Alabama para Nashville, para que pudesse estar mais próxima dele. Vou deixar que ele descreva a situação.

Minha esposa, Jeannie, e eu tínhamos empregos que exigiam um bocado de nós. Ela era enfermeira e trabalhava com triagem por telefone [...] e eu era pastor da Igreja Batista Brentwood. Nossos filhos estavam casados, cada um deles tinha sua carreira, e havíamos nos tornado avós não fazia muito tempo. Nossa vida era plena e boa.

Então, acrescentamos Mamãe à equação.

Em razão de minha situação de família, tornei-me o único responsável por ela. Escolhemos o lar de idosos Morning Pointe, em Brentwood, porque era bem próximo. Ficava apenas alguns minutos de nossa casa e era no caminho para a igreja. Poderia tomar café com ela quando estivesse indo para o escritório.

Foi o que fiz. Durante quatro anos, não todas as manhãs, mas várias vezes por semana, parava em Morning Pointe para tomar café com a Mamãe. Às vezes ela estava de bom humor; ríamos juntos ao nos recordar de velhas histórias de família. Outros dias, estava com raiva, e eu era o alvo de ataques, acusações, condenação e, por vezes, era até expulso de lá com palavrões. E, outros dias ainda, ela estava triste e não conseguia encontrar motivo para viver. [...]

Se você nunca teve uma experiência parecida, não sabe o efeito que tem sobre sua alma ver uma mulher que lhe ensinou integridade e honestidade começar a roubar tudo o que vê pela frente [...] e brigar se você tentar pegar de volta o que ela roubou.

Cuidar de alguém com Alzheimer é sofrer o tempo todo.[18]

Assim é o trabalho comum (que não tem nada de comum) de cuidar de alguém necessitado. É isso que significa negar a nós mesmos por amor a outros. Todas as semanas, durante quatro anos, um pastor extremamente ocupado de uma igreja grande e cheia de atividades no centro do Cinturão da Bíblia saía do carro, passava tempo com sua mãe, voltava para o carro e, com lágrimas nos olhos, prosseguia com seus afazeres. Por vezes, assim é servir a outros.

Aquilo que Mike fazia definiu o tom para a prática de *tov* em sua igreja. Leia o livro dele, *Coffee with Mom*, e empreste-o para amigos que sabem o que o mal de Alzheimer faz com as pessoas. Líderes definem o tom para uma cultura de serviço quando eles próprios servem.

Desligue os holofotes

Deveria ser proibido falar publicamente na igreja, sobretudo do púlpito ou em comunicados para a igreja toda, a respeito das pessoas que estão servindo. Quando o serviço é alardeado de palco, é extremamente fácil as pessoas trabalharem para receber aplauso e extremamente tentador procurar criar a reputação de servo abnegado. As palavras de Jesus em Mateus 6.3 ("Quando ajudarem alguém necessitado, não deixem que a mão esquerda saiba o que a direita está fazendo") poderiam ser pintadas nas paredes dos escritórios da igreja como lembrança. Dedique-se a servir e não conte para os outros. E, se você deseja incentivar alguém que está servindo a outros, faça-o em particular, o que, aliás, é mais expressivo.

Evite benevolência e paternalismo

Na benevolência, "aqueles que têm" realizam boas ações em prol "daqueles que não têm". (Lembre-se da história de Calvin Miller sobre as cestas de Natal.) O paternalismo transmite para os impotentes a ideia de que os poderosos estão cuidando deles, e é melhor não se esquecerem disso. Essas duas atitudes, ou mentalidades — na verdade, é isso que elas são —, precisam ser evitadas. Como portadores da imagem de Deus, apenas voltamos o olhar para outros portadores da imagem de Deus que têm alguma necessidade e atendemos a essa necessidade no andamento normal da vida. Não chame atenção para o que você está fazendo e não o faça com segundas intenções. Paulo advertiu a igreja de Roma: "Não se considerem melhores do que realmente são. Antes, sejam honestos em sua autoavaliação, medindo-se de acordo com a fé que Deus nos deu" (Rm 12.3).

Faça do serviço uma disciplina espiritual

O poder é capaz de destruir pessoas; o sucesso é capaz de transformar ministros em celebridades. É necessário, portanto, que

218 • UMA IGREJA CHAMADA *TOV*

pastores resistam à atração exercida pela fama, o que significa esforçar-se para encontrar momentos de igualdade com outros. O serviço pode ser excelente nivelador. Aqueles que, em outras circunstâncias, poderiam ser considerados indivíduos de grande prestígio na igreja (pastores, líderes de ministérios, membros proeminentes) devem *transformar um serviço em uma disciplina espiritual*. Pastores devem ser acessíveis. Quanto menos acessível for o pastor, maior a probabilidade de instalar-se uma mentalidade de celebridade e de o serviço ser colocado de lado. Pastores ocupados demais para pastorear os membros de sua igreja, que não parecem interessados em conversar e se mostram inacessíveis demais para receber e-mails e mensagens de texto, deixaram o poder subir à cabeça. O que significa ser *pastor* quando não se tem nenhum vínculo com as pessoas?

Divida o púlpito com outros

Mais pastores, especialmente os que têm o rei na barriga, precisam dividir o púlpito com outros a fim de reduzir o próprio prestígio. O momento de maior impacto do pastor motivado por poder é o sermão. Pastores podem se tornar defensivos em relação ao púlpito e ter ciúmes de outros que pregam com habilidade e competência. Uma forma simples de combater tendências arrogantes é abrir espaço para que outros preguem e ensinem na igreja. Fato: a maioria dos pregadores é mediana (é isso que significa "mediano"), mas a maioria dos pregadores imagina que está acima da média. Vem à memória uma piada que ouvi sobre professores universitários: "Quando mais de 90% dos membros do corpo docente se consideram acima da média e dois terços avaliam que estão entre os 25% de nível mais elevado, há pouca perspectiva de melhoras expressivas no ensino".[19] Se é o caso de professores universitários, é mais ainda de pastores. Dividir o púlpito com outros ou convidar preletores para congressos da igreja é uma boa forma de o pastor se lembrar de que não é o centro da igreja, uma boa forma de desenvolver o dom de ensino em outros e uma medida garantida para criar uma mentalidade de serviço.

Desenvolva a disciplina de perder discussões

Pouco tempo atrás, um de meus alunos, excelente jovem pastor, perguntou como ele poderia evitar "tornar-se como o pastor X" quando ficasse mais velho. Seu sucesso estava crescendo, e ele reconheceu que tinha dentro de si o potencial de se tornar esse tipo de pessoa. Recomendei a disciplina de perder discussões. Nossa conversa se desenrolou desta forma:

Eu: Ao tomar decisões com seus presbíteros, diáconos e líderes, você às vezes sai perdendo?

Ele: Não.

Eu: Você precisa perder de vez em quando.

Ele: Como assim?

Eu: Nem todas as decisões são importantes. Em uma discussão em que você está 60% convicto de sua opinião, tome partido, propositadamente, dos outros 40%.

Ele: Por quê?

Eu: Porque, quando seus líderes notarem que você não precisa vencer absolutamente todas as batalhas, eles perceberão que a igreja é mais importante que você.

O objetivo é criar dentro da liderança uma cultura que diga: "*Nós* importamos mais do que *eu*". Essa mentalidade pode produzir toda uma cultura de serviço uns aos outros.

Lidere com transparência

A cultura de serviço se desenvolve em torno da *transparência*. David Fitch, amigo e colega no Seminário Northern, observou na presença de colegas afro-americanos e do sexo feminino: "Se eu disser algo racista ou sexista, chamem a minha atenção de imediato".

Quando ele contou que alguém fez o que ele pediu, perguntei: "O que você disse?". Ele respondeu: "Reconheço e peço perdão!".

Quem conhece David Fitch sabe que ele adora dizer: "Reconheço", a ponto de ter se tornado algo folclórico, mas além de ser professor David também é pastor e procura cultivar transparência na cultura de sua igreja. A transparência uns com os outros é uma forma de servir uns aos outros.

No Círculo de *Tov*, uma cultura de serviço se forma em nível tão profundo que qualquer manifestação com ares de celebridade logo é repreendida.

12
Igrejas *tov* cultivam semelhança a Cristo

No Círculo de Tov, quando praticamos os hábitos de empatia e compaixão, oferecemos graça, priorizamos as pessoas, dizemos a verdade, promovemos justiça e servimos a outros, *tov* surge na cultura, e nos tornamos mais semelhantes a Cristo. A bondade (*tov*) se torna um agente que influencia todos os aspectos de nossa vida. E quanto mais praticamos *tov*, mais a cultura se torna *tov*, e assim percorremos, repetidamente, o círculo de bondade. No entanto, quando igrejas passam a ser negócios, corporações ou instituições, pastores deixam de ser pastores, igrejas deixam de ser igrejas, e a cultura na igreja se torna tóxica, e não *tov*.

Algo radical se infiltrou na igreja nos últimos cinquenta anos. A meritocracia americana conferiu novos contornos a pastores e igrejas, e uma nova cultura criou raízes, uma cultura baseada em sucesso e realização, em lugar de santidade e semelhança a Cristo. Essa nova cultura não é, de maneira nenhuma, inteiramente negativa, mas precisa ser devidamente identificada, como também precisam ser reconhecidas suas limitações. Para começar, cabe definir o que significa

222 • UMA IGREJA CHAMADA *TOV*

dizer que uma cultura de sucesso e realização criou raízes na igreja.

O surgimento de uma cultura de sucesso e realização

Em uma sociedade voltada para sucesso e realização, enfrentamos na igreja o desafio de não ser espremidos dentro desse molde e conformados a essa imagem. Sucesso e realização são duas colunas fundamentais da meritocracia, que se refere a poder (*cracia*, do grego *kratos*) baseado em mérito, ou seja, baseado em valor, excelência, ou aquilo que merecemos ou conquistamos. Para entender melhor algumas das implicações de uma meritocracia, recorremos mais uma vez a David Brooks, um dos grandes observadores culturais de nossa sociedade.

> A meritocracia é o sistema moral mais seguro de si no mundo de hoje. É tão cativante e parece tão natural que nem sequer temos consciência do quanto ele incentiva determinado vocabulário econômico a respeito de coisas não econômicas.[1]

O que Brooks diz em seguida é impressionante e penetra até o cerne da questão.

> Palavras mudam de significado. "Caráter" deixou de ser uma qualidade moral voltada para amor, serviço e cuidado e se tornou *um conjunto de características relativas ao local de trabalho e organizadas em torno de determinação, produtividade e autodisciplina*.[2]

Comunidade também recebe novo significado:

> A meritocracia define "comunidade" como *um grupo de indivíduos talentosos que competem entre si*. Organiza a sociedade em um conjunto infindável de círculos exteriores e interiores em que os grandes empreendedores de Davos ocupam o centro e

todos os demais se encontram distribuídos nos círculos mais amplos em direção à borda. Embora finja não fazê-lo, envia de modo subliminar a mensagem de que os mais brilhantes e bem--sucedidos na verdade têm maior valor que os demais.

É possível sobreviver à influência da meritocracia, uma influência que arrasa a alma, se você tiver, em paralelo, um sistema moral que possa competir com ela; mas, se você não tiver um sistema concorrente de valores, a meritocracia o consumirá.[3]

Recorde-se do que Brooks disse anteriormente: "Nunca subestime o poder que o ambiente em que você trabalha tem de transformar gradativamente sua identidade".[4]

Igrejas de hoje foram tão fortemente influenciadas pela meritocracia, pela cultura de sucesso e realização do mundo dos negócios, que agora definem *pastor* por meio de termos da cultura corporativa, em vez de usar termos bíblicos. De acordo com o vocabulário corporativo, o pastor é "líder", e *líder* é um conceito definido pelo sistema de meritocracia da cultura americana. Mas quando pastores são definidos principalmente como *líderes*, ou *empreendedores*, ou *pessoas de visão*, já deixaram de ser pastores em qualquer sentido bíblico. Além disso, quando a igreja se torna uma *instituição*, uma *organização*, ou, pior ainda, uma *corporação*, deixa de ser igreja (isto é, uma parte vital do corpo de Cristo). Ademais, a ideia de "pastor como líder" torna indistintas as linhas que definem autoridade na igreja, e as pessoas começam a perder de vista o único e verdadeiro cabeça da igreja, Jesus Cristo.

Líderes e o mundo corporativo

Eis o que eu (Scot) observei quando o termo *líder* começou a ganhar espaço na igreja, com base em um conceito de *liderança* extraído do mundo corporativo.

1. Pastores se tornaram líderes, empreendedores e pessoas de visão e, em alguns casos, consideravelmente abastados.
2. O preparo para ser pastor não exigia mais o estudo em um seminário, o fundamento para a maioria dos pastores há séculos. Quando o seminário não é a via de preparo, algo precisa ocupar seu lugar. Com frequência, é o mundo corporativo, chamado por vezes pelo eufemismo "experiência".
3. A igreja passou a ser chamada *organização* em vez de *organismo*. A organização é uma instituição humana, enquanto o organismo representa o corpo vivo de Cristo.
4. A Bíblia se tornou material de referência para princípios de liderança: Moisés como líder, Josué como líder, Ezequiel como... não, ninguém pediu que ele exercesse liderança.
5. A igreja começou a oferecer um produto, o que naturalmente levou a estudo de mercado, publicidade e promoção desse produto.
6. A igreja passou a ter necessidade de uma declaração de visão e de missão, dois termos que fazem parte das "boas práticas" do mundo corporativo. Consequentemente, as igrejas se transformaram em "marcas". Impossível encontrar um termo mais comercial que esse.
7. Igrejas começaram a fazer pesquisas de satisfação dos clientes. Os profetas do Antigo Testamento teriam muita coisa a dizer a esse respeito. A missão deles parecia consistir em provocar *insatisfação* ou *incômodo* em seus "clientes".
8. No fim das contas (outra expressão comercial), a igreja passou a buscar "lucro", medido tipicamente pelo número de traseiros nos bancos e de contribuições financeiras.

Uma cultura de liderança transforma a igreja em uma organização governada por um conjunto de princípios administrativos. Transforma pastores em líderes cujo principal objetivo é o sucesso da organização, com base em algum parâmetro mensurável. Quanto mais ambicioso o líder, e quanto mais narcisista o líder, menos a igreja se torna igreja. Tudo isso tem impacto gigantesco sobre a formação de cultura na igreja.

Dois modelos de pastor, duas culturas eclesiásticas

Quando a Willow Creek postou uma descrição de cargo para o substituto de Bill Hybels, eu (Scot) copiei a descrição para o aplicativo Word Cloud, uma forma bastante usada de visualizar as palavras empregadas em uma comunicação escrita. O resultado me espantou. Como professor de pastores e futuros pastores, decidi reunir passagens importantes da Bíblia sobre pastorado e pastoreio, colocá-las em outra janela do Word Cloud e comparar os resultados com a descrição de cargo da Willow Creek. Observadas lado a lado, as duas janelas do Word Cloud são uma ilustração nítida do que tem acontecido em nossas igrejas.

Liderança é, de longa data, uma palavra da moda na Willow Creek. Esse fato é corroborado pela descrição publicada on-line, em que *líder* é o termo predominante.[5] Os termos *liderar*, *líder* ou *liderança* aparecem 32 vezes para definir o que a Willow Creek estava procurando em seu pastor titular.

"Essa pessoa se mostrará 'líder de líderes', capaz de motivar e inspirar homens e mulheres altamente competentes a usar suas aptidões para promover a visão da igreja."

"[O pastor titular] enfatizará o desenvolvimento de liderança e dará exemplo individual em seu nível mais elevado."

"Temos forte preferência por líderes com experiência organizacional complexa ou multilocal."

"Ao fazer uma retrospectiva da vida desse líder, é possível enxergar organizações em crescimento."[6]

Observe a lista abaixo, com alguns dos termos mais frequentes apontados pelo Word Cloud na descrição de cargo de Willow Creek:

A descrição de cargo também trazia várias referências a *organização, visão, missão* e *estratégia*. A Willow Creek desejava que seu próximo líder tivesse "experiência de vida em interagir com [...] pessoas que *exteriormente são bem-sucedidas*, mas que buscam significado".[7] Tradução: Jesus e os apóstolos não precisam se candidatar a essa vaga. Ou talvez devêssemos repensar todo o conceito de pastor como CEO.

Compare a lista acima com a relação de alguns dos termos mais frequentes apontados pelo Word Cloud em minha seleção de passagens bíblicas sobre pastorado e pastoreio:

O falecido Eugene Peterson, conhecido tradutor da Bíblia *A Mensagem* e autor de alguns dos mais excelentes livros escritos até hoje para pastores, resistiu bravamente à invasão da cultura corporativa nas partes mais vitais da igreja. Considerava especialmente preocupante o fato de pastores estarem se tornando líderes, empreendedores e administradores em vez de preservar seu chamado para ser *diretores espirituais* da comunidade de fé. A maioria dos livros de Peterson trata, de alguma forma, da necessidade de formação espiritual e direção espiritual, e ele parecia sempre discordar do modismo de pastores como líderes. De acordo com Peterson, os três atos pastorais

228 • UMA IGREJA CHAMADA *TOV*

mais importantes são "orar, ler as Escrituras e oferecer direção espiritual".[8] Nunca ouvi um pastor que adote a ideia de pastorado como liderança dizer algo semelhante. Nunca.

Observe mais uma vez as listas de termos do Word Cloud. Dois pastores: um focaliza princípios de liderança e o outro focaliza formação espiritual. Duas culturas se formam, uma ao redor de cada imagem. Uma cultura se tornará *tov* (com todos os seus atributos) e a outra se tornará tóxica (e ninguém se surpreenderá quando pessoas forem tratadas de forma abusiva e com desrespeito).

Eu (Scot) vi acontecer essa transição de pastores como pastores e diretores espirituais para pastores como líderes e empreendedores, e posso ilustrá-la com um relato pessoal. Quando eu era jovem, pastores, pais e professores de escola dominical desafiavam (principalmente) meninos e rapazes a dedicar a vida a Cristo e colocar tudo no altar. A partir desse ponto, desenvolvia-se uma classificação de nobres vocações, definida mais por supostos níveis de zelo que por hierarquia. Qualquer que fosse o caso, o nível mais elevado era de missionário, o segundo era de evangelista e o terceiro era de pastor. Ninguém, nenhuma pessoa sequer, falava de entregar sua vida para se tornar *líder*.

Quando a liderança se tornou moda nas décadas de 1980 e 1990, incomodava muita gente na igreja, mas os incomodados perderam. Eu também me irritava com essa ideia e, quando me foi pedido para escrever um breve ensaio sobre liderança, preferi tratar de "como ser seguidores". Na tentativa de subverter completamente o conceito de liderança na igreja, destaquei que Jesus nunca disse para ninguém: "Venha, torne-se líder". Ele disse: "Venha, siga-me". Ele queria seguidores, não líderes.

Consideremos essa questão em mais detalhes. Você sabe quantas vezes Jesus falou sobre tornar-se líder? Nenhuma

IGREJAS *TOV* CULTIVAM SEMELHANÇA A CRISTO • 229

vez sequer. Você sabe quantas vezes Paulo usa o termo *líder*? Apenas um punhado de vezes, se tanto. Veja em sua Bíblia: o termo *prohistemi* (que significa estar à frente) se refere a presbíteros ou àqueles que chamaríamos líderes da igreja (Rm 12.8; 1Ts 5.12; 1Tm 5.17), ao que parece, também a todos os cristãos que devem "liderar" em boas obras (Tt 3.8,14), e a pais que lideram suas famílias (1Tm 3.4,12).

Pode ser arrazoado dizer que a igreja não precisa de pastores-líderes, mas de pastores que exerçam essa função debaixo do Grande Pastor, Jesus. Sim, pastores proporcionam certa liderança, mas devem conduzir os membros em direção à formação espiritual. Minha preocupação, confirmada por experiência, é que se começamos a chamar pastores de "líderes", corremos o risco de perder contato com a vocação pastoral e começamos a moldar a cultura para que se torne uma instituição ou um negócio administrado por um CEO.

Voltando a nossas considerações anteriores, nas décadas de 1980 e 1990 as igrejas foram inundadas repentinamente por revistas e congressos sobre liderança, e igrejas que ditavam tendências, como a Willow Creek e a North Point, em Atlanta, ganharam proeminência. Em certo sentido, tudo isso teve como ponto culminante a Conferência Mundial de Liderança da Willow Creek, da qual *todos* foram convidados a participar a fim de aprender a "liderar onde você estiver". Os participantes da conferência foram incentivados a ler os livros de Bill Hybels sobre liderança, igrejas se tornaram parte da Associação Willow Creek, e tudo isso reforçou a cultura de liderança da Willow Creek.

Precisamos de líderes na igreja, mas eis a questão: Quando um rapaz ou uma moça se torna líder ou "influenciador(a)" (outro termo amplamente usado hoje em dia) na igreja, indica uma ênfase egocêntrica sobre o papel e a identidade dessa pessoa. A escolha de adotar o rótulo de líder cria certa expectativa de uma descrição de cargo e uma medida de sucesso e realização.

Raciocine comigo: Há um motivo pelo qual a Bíblia chama Jesus de Messias, Senhor e Salvador, mas não de Líder. Diz respeito a sua autoridade preeminente. Há um motivo pelo qual a Bíblia chama Pedro, Tiago e João de discípulos e apóstolos, mas não de líderes. Diz respeito a seu relacionamento com Jesus e seu comissionamento por ele. Sim, Jesus era líder, mas também era o Messias (o que absorve e redefine liderança). Sem dúvida, Pedro, Tiago e João eram líderes, mas, acima de tudo, eram apóstolos (o que absorve e redefine sua liderança).

A grande maioria das discussões sobre liderança na igreja extrai seus princípios centrais do mundo corporativo, e líderes corporativos são o cerne para a definição do papel dos líderes na igreja. Pegue um dos muitos livros sobre líderes de igreja e você observará a predominância de modelos e princípios de liderança corporativos, bem como um uso superficial da Bíblia. Resumindo, a Bíblia não usa o termo *líder* da forma que nós o usamos hoje em dia. Como disse, precisamos de líderes, mas talvez um termo mais adequado seja *pastor*. Deixemos que os parâmetros desse termo definam o que é um líder!

Em vez de nos concentrar em "desenvolvimento de liderança", devemos nos concentrar em Cristo, e em mais ninguém, como nosso modelo, e na semelhança de Cristo como a identidade fundamental de *todos* os cristãos, o que inclui os pastores cristãos. O papel do pastor consiste, portanto, em mentorear pessoas para que se tornem mais semelhantes a Cristo.

Afinal, qual é a definição de pastor?

Comecemos com as palavras de um pastor: Eugene Peterson, que para muitos era pastor de pastores. Em seu belo livro *Memórias de um pastor*, Peterson trata da invasão da cultura de sucesso e realização na igreja.

No processo de entender minha identidade vocacional como pastor, não pude deixar de observar que havia ao meu redor um bocado de confusão e insatisfação com a identidade pastoral. Muitos pastores, decepcionados ou desiludidos com suas igrejas, desertam depois de alguns anos e encontram uma ocupação que seja mais de seu agrado. E muitas igrejas, decepcionadas ou desiludidas com seus pastores, os mandam embora e procuram pastores que sejam mais de seu agrado. Durante os cinquenta anos em que vivenciei a vocação de pastor, essas deserções e demissões atingiram proporções epidêmicas em igrejas de todos os ramos e formatos.

Pergunto-me se, na raiz da deserção, não existe uma premissa cultural de que todos os líderes têm de "levar projetos adiante" e "fazer as coisas acontecerem". Sem dúvida, é o caso dos principais modelos de liderança que se infiltram da cultura para nossa consciência: políticos, empresários, publicitários, relações públicas, celebridades e atletas. Embora o pastorado abarque alguns desses aspectos, o elemento mais difundido em nossa tradição pastoral de dois mil anos não é alguém que "faz as coisas acontecerem", mas, sim, alguém colocado na comunidade para prestar atenção e chamar a atenção para "o que está acontecendo neste momento" entre homens e mulheres, uns com os outros e com Deus, esse reino de Deus primeiramente local, inexoravelmente pessoal e que ora "sem cessar".[9]

Se desejamos formar uma cultura *tov* na igreja, capaz de curar os feridos, precisamos operar conforme o plano de Deus, e não conforme o modelo mais recente de liderança. Este é o plano de Deus para o pastor: *O pastor é alguém chamado para cultivar a cristoformidade em si mesmo e em outros.*

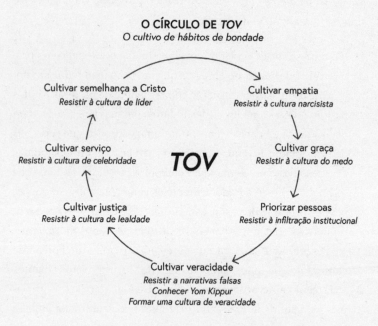

O termo *cristoformidade* significa "ser conformado a Cristo". Em outras palavras, semelhança a Cristo. Pastores, por definição, pastoreiam a partir de sua própria cristoformidade pessoal.[10] Por certo, nenhum pastor é perfeito, mas pastores precisam ser cristãos maduros o suficiente para ter condições de mentorear outros no desenvolvimento da semelhança a Cristo, enquanto eles próprios se movem nessa mesma direção. Estamos juntos nessa jornada.

O objetivo do pastor é ajudar cada pessoa debaixo de seu pastoreio a se tornar mais parecida com Jesus. Essa é a essência do ministério pastoral. Por isso o abuso de mulheres e crianças na igreja, o abuso de poder na igreja e as falsas narrativas na igreja são coisas tão odiosas.

É fato triste que muitos pastores (e, portanto, muitos membros de igreja) consideram que o propósito central das manhãs de domingo é pregar (ou ouvir) um sermão. A pregação faz parte do propósito, mas quando se torna o propósito central, ou absolutamente abrangente, as manhãs de domingo se transformam em pouco mais que "venham me ouvir pregar". E uma cultura de "venham me ouvir pregar" não é uma cultura *tov*. Não estou depreciando a pregação, mas, sim, criticando a ideia de que o pastor é, acima de tudo, pregador. A pregação é apenas uma dimensão de uma tarefa que inclui muitas outras coisas.

Eu (Laura) reconheço que tenho obsessão com pregações. Muitas vezes, Mark e eu não íamos ao culto de sábado à noite na Willow Creek porque não gostávamos de ouvir quem ia pregar naquela semana. Ou talvez nosso time de beisebol, o Chicago Cubs, estivesse jogando e considerássemos impossível perder a partida em que eles garantiriam a vaga nas finais. Nossos vizinhos iam passear de bicicleta e depois jantar, e o tempo estava perfeito, e não queríamos ficar de fora da diversão. Tínhamos medo de perder alguma atividade empolgante. Na verdade, o que tínhamos eram desculpas intermináveis e, na maioria das vezes, culpávamos A Pessoa Que Vai Pregar Hoje. O propósito central da frequência aos cultos havia se tornado Ouvir o Pregador. E, quem sabe se déssemos sorte naquela semana, gostaríamos do culto como um todo! Mark se esforçava mais para se envolver com nossa comunidade, algo que parece ser uma necessidade real e muito mais apropriada que meu enfoque excessivo sobre o pregador. Mas, se nossos amigos não estavam no culto, sentíamos que havia sido extremamente chato. Tínhamos nos tornado consumidores e avaliadores, e estávamos presos a esse modo de pensar. Não foram poucas as semanas em que encaramos as noites de sábado com grande relutância.

Não tenho dúvida de que muitas pessoas que frequentam fielmente a Willow Creek e outras megaigrejas toda as semanas não têm o mesmo enfoque excessivo que eu no pregador. Não culpo a Willow Creek pela rotina à qual me vi presa. Creio, porém, que nossa mudança para uma cultura eclesiástica diferente despertou minha alma para que a frequência aos cultos tivesse propósitos mais puros. Quando nos mudamos para a Church of the Reedemer, começamos a entender que a igreja não existe em função do pregador.

Hoje, seguimos o calendário litúrgico, que tem semanas para Quaresma e Páscoa, Pentecostes e Advento, e o Tempo Comum. Mas não são "temas" ou "séries". Como Jay, nosso pastor, costuma observar, esse calendário nos oferece cura por meio do ritmo litúrgico. A cada domingo, temos a leitura fielmente simples da liturgia do Antigo Testamento, seguida de um salmo, de uma leitura das Epístolas e de um dos quatro Evangelhos. Há tempo de louvor e uma mensagem (mas não como elemento central), seguidos da recitação do Credo Niceno, oração em conjunto, confissão de pecado e saudações de paz. Tudo isso tem como ápice a Ceia do Senhor, isto é, a recordação do sacrifício de Cristo em nosso favor.

Se o culto "se encaminha" para algo, é para esse momento, em que os membros de nossa família de fé tomam e recebem juntos a Ceia do Senhor. Esse momento em que as crianças voltam das classes da escola dominical para sentar-se ao lado dos pais; esse momento em que famílias vão à frente juntas para receber o pão e o vinho ou uma terna bênção.

IGREJAS *TOV* CULTIVAM SEMELHANÇA A CRISTO • 235

"Venham", Jay convida antes de partir o pão da Ceia. "Venham como estão."

Recebemos a Ceia juntos, como família, como faziam as famílias no primeiro século e na igreja primitiva, com o compromisso de educar os filhos na fé de seus pais. Nosso pastor coloca o Pão da Vida em nossas mãos, volta-se para cada um de nós e nos chama por nome ao dizer que o corpo de Jesus foi partido por nós. (Há algo de tão comovente nessas palavras, repetidas a cada semana.) Voluntários como Lesley, Carol ou Al voltam-se para cada um de nós e nos dão o Cálice da Salvação, lembrando-nos de que Jesus morreu por nós.

Devo observar, ainda, que vamos aos cultos com muito mais regularidade. Agora, entendemos que "igreja" não é um evento e não tem como centro o sermão do pastor. Participar da igreja significa tornar-nos parte de uma comunidade de cristãos e ser alimentados na fé. Participar da igreja é confessar pecados e deixar que Deus trabalhe em nossa alma. Participar da igreja é construir relacionamentos e comunidade, algo que leva tempo. Participar da igreja é conhecer e ser conhecidos, amar e ser amados, servir e ser servidos. Creio que agora vamos à igreja com regularidade porque ouvir determinado pregador não é mais nosso foco. Gostamos de nosso pastor porque ele é manso e humilde, sabe nosso nome e fica feliz de nos ver, e não porque é bom pregador (embora ele o seja).

Pastorear significa alimentar os membros espiritualmente como indivíduos e como igreja. Pastores são vocacionados para algo que era chamado "cura d'almas" e que Eugene Peterson chama "ministério de conversas informais".[11] O ministério pastoral diz respeito à vida comum. Em outro contexto, Peterson observou que "a teologia pastoral, como Paulo a

236 • UMA IGREJA CHAMADA *TOV*

vivencia e a escreve, é relacional: pessoas envolvidas como pessoas-em-relacionamentos".[12]

O próprio Paulo afirma: "Pesa sobre mim diariamente a preocupação com todas as igrejas" (2Co 11.28). Ao se dirigir aos presbíteros da igreja em Éfeso, Paulo diz: "Lembrem-se dos três anos que estive com vocês, de como dia e noite nunca deixei de aconselhar com lágrimas cada um de vocês" (At 20.31). Paulo era vulnerável: não teve "paz em [seu] espírito" quando não encontrou Tito em Trôade (2Co 2.12-13). E queria que os coríntios abrissem o coração para ele (2Co 7.2). As emoções do pastor são influenciadas pelo crescimento em Cristo das pessoas sob seus cuidados. Poderíamos dar muitos outros exemplos.

Qual é a definição de igreja?

Os perigos de ver uma igreja como se fosse uma organização são parecidos com os perigos de ver pastores como se fossem líderes. As palavras importam. Uma igreja não é uma empresa, não oferece um produto e não avalia sucesso com base em parâmetros mensuráveis. Uma igreja é uma comunidade local de cristãos que se esforçam para ser semelhantes a Cristo como comunidade e como indivíduos. Sua liderança é diferente de todas as outras, pois igrejas não operam com base em hierarquias e organogramas. Operam com base na interdependência de indivíduos, cada um com seus dons, que trabalham juntos para honrar, adorar e servir a Deus sob a autoridade exclusiva de Jesus Cristo, capacitados e inspirados pelo Espírito Santo.

O fato de a igreja chamar seu Senhor *Jesus Cristo* (combinação de hebraico e grego em um nome em nosso idioma) aponta para a identidade que a igreja deve ter. *Jesus* vem do nome hebraico *Yehoshua* (que também pode ser traduzido por "Josué"), que significa Deus livra, salva, resgata. *Cristo* é uma

IGREJAS *TOV* CULTIVAM SEMELHANÇA A CRISTO • 237

tradução para o grego do termo hebraico *Mashiach* (de onde temos a palavra "Messias"), que significa "ungido". A igreja declara, portanto, que seguimos o Deus de Israel que, fiel às promessas de sua aliança, enviou seu Filho ungido para redimir seu povo. Dessa forma, a igreja cumpre a narrativa de Israel. Nossa lealdade a Jesus Cristo define nossa identidade, diz como devemos viver, mostra o rumo que devemos tomar e nos enche de memórias e esperanças.

A igreja como povo, e não como organização, negócio ou empreendimento, é o meio pelo qual outras pessoas são acolhidas na família de Deus. Nosso propósito é redentor e restaurador, não busca lucro, prestígio ou poder. Aqueles que se alinham sob a autoridade de Jesus como Senhor se identificam com a obra redentora de salvação realizada por Jesus na cruz (e cumprida por sua ressurreição e ascensão) e são levados a um relacionamento restaurado com "o Deus que salva". Jesus nos liberta de nossos pecados, nos salva das garras de Satanás e nos livra do mal sistêmico que opera no mundo. Não existe modelo de negócio que inclua esses elementos.

A aliança de Deus é com Israel, mas seu povo não é mais constituído *somente* de Israel. Nós (a igreja) fomos enxertados nesse povo (Rm 11.1-31; Ef 2.11—3.6). É vergonhoso que a igreja muitas vezes fale como se a aliança de Deus com Israel fosse algo do passado; ninguém que aceita Jesus como Senhor pode apagar a história da aliança de Deus com Israel. A história de Israel é nossa história. Dito isso, o que torna a igreja tão extraordinária é a expansão a fim de incluir os gentios, aqueles que antes estavam fora da aliança e desconheciam as promessas. A igreja é uma comunidade de muitas etnias, nacionalidades, raças e, portanto, de muitas culturas, constituída de pessoas redimidas debaixo de um só Rei, Jesus.

238 • UMA IGREJA CHAMADA *TOV*

O evangelho invade nosso mundo de meritocracia e realizações, em que sucesso é medido em números e em projetos concluídos, e diz *não, não, não*. O evangelho declara que sucesso não é medido em números. Declara que pastores e igrejas têm uma prioridade completamente diferente, a saber, ajudar outros a se tornar cada vez mais semelhantes a Cristo. Esse é o processo e a busca que se estendem por toda a nossa vida, e todos nós estamos em um ponto diferente ao longo do caminho. É um processo baseado em amor, não em administração de negócios ou em princípios de liderança.

Observe estas palavras do apóstolo João:

> Deus é amor, e quem permanece no amor permanece em Deus, e Deus nele. À medida que permanecemos em Deus, nosso amor se torna mais perfeito. Assim, teremos confiança no dia do julgamento, *pois vivemos como Jesus viveu* neste mundo.
>
> Esse amor não tem medo, pois o perfeito amor afasta todo medo. Se temos medo, é porque tememos o castigo, e isso mostra que ainda não experimentamos plenamente o amor.
>
> 1João 4.16-18, grifo nosso

Redefinição de sucesso

A vocação do pastor e a vocação da igreja consistem em cuidar das pessoas para que se tornem cada vez mais semelhantes a Cristo, para que desenvolvam *tov*. Deus é bom, Cristo é bom, e ser como Cristo é ser *tov*. Completamos nosso círculo. Todo o Círculo de *Tov* é abrangido e expresso de forma plena pela semelhança a Cristo.

O crescimento na semelhança a Cristo contrasta nitidamente com uma cultura de realizações, medida por números, poder, prestígio e dinheiro. Existe a tentação constante para igrejas e pastores de ser afastados da cultura de semelhança a Cristo e arrastados para a cultura do mundo.

A cultura *tov* de semelhança a Cristo é permeada por algo inteiramente distinto da cultura do mundo, algo de ponta-cabeça, de trás para a frente, tão diferente que nos deixa atordoados. Jesus chama pessoas para que o sigam até a cruz, e o apóstolo Paulo usa essa vida cruciforme para redefinir o verdadeiro sucesso:

Tenham a mesma atitude demonstrada por Cristo Jesus.

Embora sendo Deus,
    não considerou que ser igual a Deus
    fosse algo a que devesse se apegar.
Em vez disso, esvaziou a si mesmo;
    assumiu a posição de escravo
    e nasceu como ser humano.
Quando veio em forma humana,
    humilhou-se e foi obediente
    até a morte, e morte de cruz.

Por isso Deus o elevou ao lugar de mais alta honra
    e lhe deu o nome que está acima de todos os nomes,
para que, ao nome de Jesus, todo joelho se dobre,
    nos céus, na terra e debaixo da terra,
e toda língua declare que Jesus Cristo é Senhor,
    para a glória de Deus, o Pai.

Filipenses 2.5-11

O modo de viver de Jesus é cruciforme. Portanto, o modo de viver daqueles que estão unidos a Jesus, daqueles que desejam seguir Jesus, também é cruciforme. A vida cruciforme, ou aquilo que chamamos cristoformidade, é uma vida rendida a

240 • UMA IGREJA CHAMADA *TOV*

Jesus por amor a outros. Essa é a cultura *tov* que somos chamados a estabelecer, incentivar e cultivar.

Uma cultura eclesiástica *tov* adota essa busca, essa vocação, para seus pastores e seus membros. *Tov* chama pastores (é importante entender bem essa parte) a pastorear as pessoas que eles têm, e não as que eles não têm. O crescimento, em todos os aspectos, é obra do Espírito Santo, não do pastor, dos líderes ou da igreja.

Alguns pastores, líderes e membros de igreja ficam inebriados com números e medem a si mesmos em comparação com outros. No entanto, há somente uma igreja. O crescimento é bom, mas o propósito da igreja não é crescimento numérico, não é encher seus bancos. O propósito da igreja é a conformidade a Cristo. Essa é a essência do plano de Deus. Leia as palavras de Paulo em Romanos: "Pois Deus conheceu de antemão os seus e os predestinou para se tornarem semelhantes à imagem de seu Filho" (Rm 8.29). Temos aqui, em linguagem simples, toda a missão da igreja e de seus pastores: tornar-se semelhantes a Cristo e cuidar de outros para que se tornem semelhantes a Cristo.

Ajudamos uns aos outros a nos tornar mais parecidos com Jesus por meio do exercício dos dons espirituais, à medida que contribuímos mutuamente para o todo (1Co 12—14). Nessa dinâmica, aprendemos a nos despojar de hábitos pecaminosos, que a Bíblia chama de "carne", e a nos revestir de *tov*, que Paulo chama de fruto do Espírito (Gl 5.13-25).

Cabe aqui uma observação a respeito dos dons espirituais e do papel de cada pessoa no ministério cotidiano de uma igreja chamada *tov*: Cada indivíduo é um ministro, cada indivíduo tem dons concedidos pelo Espírito Santo, e todos têm um ministério contínuo. Esse ministério é aquilo que Deus capacita cada um a realizar. Teresa Morgan, brilhante professora do mundo clássico da Grécia e de Roma na Universidade de Oxford e ministra da Igreja Anglicana, diz como aprendeu a ver sua vida como exercício dos dons que recebeu de Deus:

> Não me via como ministra em minha paróquia e professora no trabalho, mas como alguém que vive uma só vida de fé em vários lugares. Aos poucos, começaram a germinar ideias de que é possível ministrar na comunidade em que trabalho e para ela.
>
> Não falava com frequência de religião, a menos que as pessoas quisessem tratar desse assunto. A maioria dos meus colegas não era religiosa, ou era religiosa mas não cristã. Eu os respeitava pessoalmente; respeitava seus compromissos religiosos e de outros tipos; não planejava lhes dar indigestão ao dizer durante o almoço em que, a meu ver, eles deviam crer. Parecia-me que ministrar no lugar de trabalho devia ser mais uma questão de "mostrar" que de "dizer".
>
> A cada dia, procurava ficar atenta para as pessoas ao meu redor, especialmente se precisavam de ajuda prática, ânimo, ou simplesmente de alguém que as ouvisse. Procurava viver em harmonia com meus colegas e alunos e promover perdão e reconciliação quando tínhamos desentendimentos. Buscava maneiras de lecionar, escrever, participar de reuniões ou realizar tarefas administrativas rotineiras que tornassem minha instituição um lugar mais amoroso, pacífico e alegre e que contribuíssem para compartilhar essas qualidades com o mundo de modo mais amplo. Dizia a Deus todos os dias: "Que seja feita a tua vontade, e não a minha", e esperava para ver o que Deus faria com minha obediência.[13]

Parece um bom plano para promover *tov*!

O que acontece em nossas igrejas quando nos concentramos em alvos como aqueles em que Paulo se concentrava nas igrejas dele? O que acontece quando medimos nosso sucesso de acordo com a semelhança a Cristo? O que acontece com

242 • UMA IGREJA CHAMADA *TOV*

nossos conselhos de presbíteros, diáconos e líderes? O que acontece com nossas programações, pregações e músicas? O que acontece quando reimaginamos a igreja como uma escola para pecadores que, aos poucos, estão aprendendo a trilhar o caminho de Cristo? Todos nós sabemos que nenhuma igreja é perfeita. Aqueles que procuram uma igreja perfeita, até mesmo uma igreja que desenvolva plenamente as expectativas acima, logo se decepciona. Não obstante, cada igreja deve empreender uma jornada em direção ao alvo de se tornar uma igreja *tov*. O Círculo de *Tov* expressa alguns dos principais temas bíblicos dos quais nossas igrejas precisam hoje.

O que podemos fazer?

É possível que, desde o início do livro, você esteja se perguntando: *O que podemos fazer?* Para uma estrutura básica, recorremos a Patrick Keifert e Wesley Granberg-Michaelson, dois especialistas em mudanças na igreja que desenvolveram e refinaram sua abordagem ao longo de décadas em que trabalharam com igrejas para transformar suas culturas.[14] Sua proposta tem cinco elementos, que nós adotamos, adaptamos e ajustamos para nosso Círculo de *Tov*.

Primeiro, expresse que *tov* é a missão de Deus para sua igreja; *tov* é caracterizado perfeitamente quando trabalhamos juntos para nos tornar mais parecidos com Jesus.

Segundo, abra espaço para que a obra criativa do Espírito de Deus conduza sua igreja a *tov* e evite programar, controlar e limitar essa obra criativa do Espírito de Deus.

Terceiro, em todos os níveis, torne-se disponível para o discernimento revelador do Espírito Santo a respeito de como *tov* pode criar raízes em sua igreja.

IGREJAS *TOV* CULTIVAM SEMELHANÇA A CRISTO • 243

Quarto, *permaneça* na Palavra. Leia a Palavra com outros e, juntos, deixem que a Palavra lhes mostre como Deus os está conduzindo em direção a *tov*.

Quinto, coopere com outras igrejas no processo de erradicação da cultura tóxica e de transformação de sua igreja em uma igreja chamada *tov*.[15]

Uma oração de encerramento

Pai de toda a misericórdia,

Tu conheces o coração, a mente e os atos de todo o teu povo.

Tu conheces todas as coisas e revela tua verdade em Cristo.

Pedimos que concedas a nós, teu povo, que inclui os pastores e as igrejas mencionados neste livro, conhecimento da verdade do evangelho (que desmarcara nosso fingimento, nossa busca por poder e nossos pecados) e conhecimento da verdade de tua graça que nos transforma à semelhança de Cristo.

Pedimos também, Senhor, que concedas as ricas graças de reconciliação entre aqueles que se encontram em lados opostos desses acontecimentos devastadores nas igrejas.

Concede-nos essas bênçãos para que possamos viver na luz, cientes das graças de teu perdão e poder, trilhando o caminho que dá toda a glória a ti.

Por meio Daquele que vive contigo, o Espírito Santo, um só Deus, hoje e sempre,

Amém.

Agradecimentos

Primeiramente e acima de tudo, homenageamos as valentes mulheres da Willow Creek: Vonda Dyer, Keri Ladouceur, Nancy Beach, Nancy Ortberg, Julia Williams, Moe Girkins, Pat Baranowski, e outras que permanecem anônimas. Também homenageamos Leanne Mellado, Jimmy Mellado, e Betty Schmidt.

Para Steve e Sarah Carter, que abriram mão de tudo para fazer a coisa certa. Não foi fácil. Ainda não é fácil. Esperamos que as palavras deste livro lhes deem ânimo. Vemos seu sacrifício. Somos muito gratos porque conhecemos vocês.

Um livro como este não teria sido escrito sem um bocado de apoio.

Kris, você nos acompanhou a cada passo ao longo do caminho, ofereceu conselhos, ouviu mil e uma conversas e respondeu a inúmeras perguntas ao nos valermos, repetidamente, de seu conhecimento como psicóloga clínica. Sua defesa persistente das mulheres e sua percepção de formas abusivas de poder tornaram melhor cada página deste livro.

Mark, você também nos acompanhou a cada passo ao longo do caminho e ouviu mil e uma conversas. Suas perguntas instigantes nos levaram a ideias mais profundas e expressivas que desenvolvemos neste livro. Enquanto escrevia na mesa de nossa cozinha durante quase todo o verão de 2019, você passava por mim e se tornava parte de mais um capítulo, às vezes em nome e sempre em sabedoria.

AGRADECIMENTOS • 245

Mike Breaux, você ofereceu conselhos e considerações extremamente valiosos ao ler o manuscrito. Somos gratos pela sabedoria que você compartilhou. Sua leitura e suas opiniões sinceras aprimoraram este texto.

Eu (Laura) sofri uma perda relacional terrível alguns meses antes de a história da Willow Creek vir a público. Becki Bellito, Bryna Williamson e Ruth Grigson, sua amizade foi e é um refúgio. Meus agradecimentos a Amanda Vanecko e Jaime Patrick. E a Lori Johnson e Donna Claffey por ouvirem com paciência infindável.

O profissionalismo dos jornalistas Manya Brachear Pashman e Bob Smietana foi um incentivo e uma inspiração. Vocês merecem crédito por terem sido os primeiros a publicar o que aconteceu na Willow Creek.

Muito obrigada à Church of the Reedemer por criar uma cultura de bondade na qual nos deleitamos.

Joel Weber e Mitch Little, obrigada por sua amizade, sua sabedoria e seus conselhos para este livro.

Eu (Scot) não consigo nem começar a me lembrar do número de amigos com os quais conversei a respeito de cultura eclesiástica, *tov*, líderes, o que deu errado e por quê. Muitos de meus alunos fizeram perguntas que me levaram a pensar sobre esses temas de maneiras que eu havia relutado em explorar e, portanto, contribuíram para que este livro fosse melhor. Alguns de meus alunos se mostraram defensores ferrenhos daquilo que é certo e renovaram meu ânimo repetidamente. Ouvi meu colega David Fitch fazer críticas severas a megaigrejas durante anos. Críticas à parte, ele é um dos poucos que entende a complexidade e, por vezes, a corrupção daquilo que está acontecendo nas megaigrejas americanas. Sou grato a Ryan Mahoney e Scott Bryant, que conversaram comigo algumas vezes sobre a Harvest Bible Chapel. Vocês não estão sozinhos. Alguns tiveram de dar seus depoimentos de forma anônima, mas suas considerações ampliaram e aprofundaram nosso entendimento. De dois deles eu descobri muito mais do que queria saber.

Sou grato, também, a Diane Chandler, que me ajudou a pensar sobre os diferentes elementos da cultura eclesiástica.

Agradecemos, ainda, à incrível equipe editorial da Tyndale: Jon Farrar, Jan Long Harris e Jillian Schlossberg. Dave Lindstedt, você trabalhou conosco de modo maravilhosamente gentil e não apenas editou, mas também ouviu.

Por fim, homenageamos vocês que foram feridos no processo de sua resistência.

Notas

Prefácio

[1] *Glory Descending: Michael Ramsey and His Writings*, org. Douglas Dales et al. (Grand Rapids: Eerdmans, 2005), p. 102.

[2] Jacques Ellul, *Money and Power*, trad. LaVonne Neff (Eugene, OR: Wipf and Stock, 2009), p. 18. [No Brasil, *O homem e o dinheiro: Aprenda a lidar com a "origem de todos os males"*. Curitiba: Palavra, 2008.]

Introdução

[1] Manya Brachear Pashman e Jeff Coen, "After Years of Inquiries, Willow Creek Pastor Denies Misconduct Allegations", *Chicago Tribune*, 23 de março de 2018, <www.chicagotribune.com/news/local/breaking/ct-met-willow-creek-pastor-20171220-story.html>.

[2] Ibid.

[3] Ibid.

[4] Ibid.

[5] Scot McKnight, "About Willow Creek: What Do I Think?" *Jesus Creed* (blog), 27 de junho de 2018, <https://www.patheos.com/blogs/jesuscreed/2018/06/27/about-willow-creek-what-do-i-think>.

[6] Harvest Bible Chapel, "November 3, 2019 Elder Update", <www.harvestbiblechapel.org/2019/11/03/november-3-2019-elder-update>.

[7] Kate Shellnutt, "Sovereign Grace Calls Outside Investigation 'Impossible'", *Christianity Today*, 18 de abril de 2019, <https://www.christianitytoday.com/news/2019/april/sovereign-grace-churches-sgc-sgm-independent-investigation-.html>.

[8] Veja Alex Johnson, "Tennessee Pastor Andy Savage Resigns Weeks after Admitting 'Sexual Incident' with Minor", NBC News, 20 de

março de 2018, <https://www.nbcnews.com/storyline/sexual-misconduct/tennessee-pastor-andy-savage-resigns-weeks-after-admitting-sexual-incident-n858541>; Leonardo Blair, "Megachurch Pastor Resigns over Allegations of Sex with 18-Year-Old Members of Youth Group 17 Years Ago", *Christian Post*, 29 de novembro de 2019, <https://www.christianpost.com/news/megachurch-pastor-resigns-over-allegations-of-sex-with-18-year-old-members-youth-group.html>.

[9] Sarah Pulliam Bailey, "Mark Driscoll Removed from the Acts 29 Church Planting Network He Helped Found", *Washington Post*, 8 de agosto de 2014, <https://www.washingtonpost.com/national/religion/mark-driscoll-removed-from-the-acts-29-church-planting-network-he-helped-found/2014/08/08/e8e6137c-1f41-11e4-9b6c-12e30cbe86a3_story.html>.

[10] Plaintiff 's Amended Original Complaint and Jury Demand, *Jane Roe v. Leighton Paige Patterson and Southwestern Baptist Theological Seminary*, Civil N° 4:19-cv-00179-ALM-KPJ, doc. 8, registrado em 22 de maio de 2019, p. 8 de 34, identificação da página: 77, item 25, <https://baptistblog.files.wordpress.com/2019/06/amended-complaint.pdf>.

Capítulo 1

[1] David Brooks, *The Second Mountain: The Quest for a Moral Life* (New York: Random House, 2019), p. 22.

[2] Ibid., p. xxxi.

[3] Andy Crouch, *Culture Making: Recovering Our Creative Calling* (Downers Grove, IL: IVP, 2008), p. 23. Grifo nosso.

[4] Ibid., p. 69. Grifo nosso.

[5] "Uncovering and Facing Spiritual Abuse", The Barnabas Ministry, 2006, <www.barnabasministry.com/recovery-uncovering.html>.

Capítulo2

[1] "Narcissistic Personality Disorder", Mayo Clinic, <www.mayoclinic.org/diseases-conditions/narcissistic-personality-disorder/symptoms-causes/syc-20366662>.

[2] Ibid.

[3] James C. Galvin, *Willow Creek Governance Review, 2014–2018*, 14 de abril de 2019, p. 5, <https://gallery.mailchimp.com/dfd0 f4e0c107728235d2ff080/files/6d3bafc4-0b43-450c-8e1e-4eb1c 80771e2/Report_on_Governance_Review_2014_2018_FINAL.pdf>.

[4] Ronald M. Enroth, *Churches That Abuse* (Grand Rapids: Zondervan, 1992), p. 202-3.

[5] Galvin, *Willow Creek Governance Review*, p. 3, 5.

[6] Ibid., p. 3-5.

[7] Ibid., p. 4.

[8] Ibid., p. 5.

[9] Julie Roys, "Hard Times at Harvest", *World*, 13 de dezembro de 2018, <https://world.wng.org/2018/12/hard_times_at_harvest>.

[10] "James MacDonald Harvest Bible Chapel Excommunication", Internet Archive, 19 de setembro de 2013, <https://archive.org/ details/JamesMacDonaldHarvastBibleChapel>, 3:28–3:33.

[11] Roys, "Hard Times at Harvest".

[12] Ibid.

[13] Anthony Everitt, *The Rise of Athens* (New York: Random House, 2016), p. 68.

[14] Ellen F. Davis, *Proverbs, Ecclesiastes, and the Song of Songs* (Louisville, KY: Westminster John Knox, 2000), p. 27.

[15] Enroth, *Churches That Abuse*, p. 196.

[16] Jerry Useem, "Power Causes Brain Damage", *The Atlantic*, julho/ agosto de 2017, <www.theatlantic.com/magazine/archive/2017/07/ power-causes-brain-damage/528711>.

[17] David Owen e Jonathan Davidson, "Hubris Syndrome: An Acquired Personality Disorder? A Study of US Presidents and UK Prime Ministers over the Last 100 Years", *Brain* 132, n° 5, maio de 2009, p. 1396-1406, <https://academic.oup.com/brain/article/132/5/1396/ 354862>.

[18] Owen and Davidson, "Hubris Syndrome".

250 • UMA IGREJA CHAMADA *TOV*

[19] Da descrição de produto em <https://bakerbookhouse.com/products/what-do-they-hear-bridging-the-gap-between-pulpit-pew-9780687642052>.

[20] Bill Hybels, *Axiom: Powerful Leadership Proverbs* (Grand Rapids: Zondervan, 2008), p. 145. [No Brasil, *Axiomas: máximas de liderança corajosa*. São Paulo: Vida, 2009.]

[21] Ibid., p. 145-6.

[22] Jill Monaco, "Detoxing after Working at Harvest Bible Chapel", <https://jillmonaco.com/detoxing-after-working-at-harvest-bible-chapel>.

Capítulo 3

[1] Bob Smietana, "Bill Hybels Accused of Sexual Misconduct by Former Willow Creek Leaders", *Christianity Today*, 22 de março de 2018, <www.christianitytoday.com/news/2018/march/bill-hybels-misconduct-willow-creek-john-nancy-ortberg.html>.

[2] Bob Allen, "Paige Patterson claims First Amendment defense in abuse lawsuit", *Baptist News Global*, 27 de agosto de 2019, <https://baptistnews.com/article/paige-patterson-claims-first-amendment-defense-in-abuse-lawsuit/#.XWpcf5NKgn1>. Grifo nosso.

[3] Boz Tchividjian, palestra na Convenção Batista do Sul, cujo tema foi "Cuidar Bem", 3 de outubro de 2019. Tchividjian também deu aos autores acesso a suas anotações digitadas e manuscritas. Um vídeo da palestra está disponível on-line em <www.facebook.com/flyingfreenow/videos/1136635310058916>.

[4] Jim Van Yperen, "How Can a Church Witness Well in the Aftermath of Sexual Abuse?" Misio Alliance, 28 de fevereiro de 2018, <www.missioalliance.org/can-church-witness-well-aftermath-sexual-abuse>.

[5] Ibíd., adaptado.

[6] Robert Cunningham, *thread* do Twitter em 17 de novembro de 2017, <https://twitter.com/tcpcrobert/status/931539423010975744>.

[7] Robert Cunningham, "Addressing Our Past", Tates Creek Presbyterian Church, 24 de junho de 2018, <https://tcpca.org/addressing-our-past>.

[8] Ibid.

[9] Morgan Eads, "Lexington Church Releases Findings of Investigation into Ex-pastor Accused of Rubbing Feet", *Lexington Herald Leader*, 10 de junho de 2019, <www.kentucky.com/news/local/counties/fayette-county/article231381283.html>.

[10] Cunningham, "Addressing Our Past".

[11] Ibid.

[12] Ibid.

[13] Ibid.

[14] Robert Cunningham, "Addressing Our Present & Future", Tates Creek Presbyterian Church, 8 de junho de 2019, <https://tcpca.org/addressing-our-present-future?fbclid=IwAR2RQVocpSiZeNKr E1NQelRASWKm_DGLi57LTmyYk5hGRqUlbb2KIbbIOWc>.

[15] As traduções em nosso idioma variam. O termo grego traduzido por "irmão" significa "irmão" (masculino) ou "irmã(o)" (feminino ou masculino), portanto "membro da igreja" é uma tradução apropriada.

[16] O uso indevido de Mateus 18 é um exemplo de *traição institucional*, vista aqui como tentativa de castigar vítimas e denunciantes. Veja mais sobre traição institucional em Carly Parnitzke Smith e Jennifer J. Freyd, "Institutional Betrayal", *American Psychologist* 69, n° 6, setembro de 2014, p. 575-587, <https://dynamic.uoregon.edu/jjf/articles/sf2014.pdf>.

[17] "04-10-18 Willow Creek Bill Hybels Early Retirement Mtg", Brandy Bo Bandy, canal do YouTube, <www.youtube.com/watch?v=H1M6atmmFe8>, 21:43–21:53.

[18] Vonda Dyer, conversa com os autores em 4 de janeiro de 2020.

[19] Jennifer Babich, "Why 2 Women Are Speaking Up about Pastoral Abuse 17 Years after Being Told to Stay Silent", Clarksville, *Leaf Chronicle*, 7 de novembro de 2019, <www.theleafchronicle.com/story/news/2019/11/05/first-baptist-clarksville-pastor-abuse-wes-feltner-berean-baptist-claims/4158696002>.

[20] Chris Smith, "Pastor Resigns After Abuse Allegations Derailed Hiring by First Baptist Clarksville", Clarksville, *Leaf Chronicle*, 26 de

252 • UMA IGREJA CHAMADA *TOV*

novembro de 2019, <https://www.theleafchronicle.com/story/news/local/clarksville/2019/11/26/pastoral-abuse-candidate-rejected-first-baptist-resigns/4311127002>.

[21] "Anne Marie Miller's Victim Impact Statement after Guilty Plea from Mark Aderholt and Other Women Come Forward", <http://annemariemiller.com/2019/07/02/anne-marie-millers-victim-impact-statement-after-guilty-plea-from-mark-aderholt-and-other-women-come-forward/?preview=true>; "I Was Assaulted. He Was Applauded", *New York Times*, 9 de março de 2018, <www.nytimes.com/2018/03/09/opinion/jules-woodson-andy-savage-assault.html>.

[22] Robert Carl Mickens, citado em Frédéric Martel, *In the Closet of the Vatican*, trad. Shaun Whiteside (London: Bloomsbury Continuum, 2019), p. 423. [No Brasil, *No armário do Vaticano*. São Paulo: Objetiva, 2019.]

Capítulo 4

[1] Eu (Scot) comecei a compilar uma lista de narrativas falsas enquanto lia um estudo sobre como igrejas luteranas na Alemanha reagiram depois da Segunda Guerra Mundial, quando as realidades do Holocausto foram reveladas. Recomendo a leitura de Matthew D. Hockenos, *A Church Divided: German Protestants Confront the Nazi Past* (Bloomington, IN: Indiana University Press, 2004). Veja também Boz Tchividjian, "False Narratives of Christian Leaders Caught in Abuse", *Religion News Service*, 28 de agosto de 2015, <https://religionnews.com/2015/08/28/false-narratives-of-christian-leaders-caught-in-abuse>.

[2] Veja mais sobre traição institucional em Carly Parnitzke Smith e Jennifer J. Freyd, "Institutional Betrayal", *American Psychologist* 69, nº 6, setembro de 2014, p. 575-587, <https://dynamic.uoregon.edu/jjf/articles/sf2014.pdf>.

[3] Morgan Lee, "My Larry Nassar Testimony Went Viral. But There's More to the Gospel than Forgiveness", *Christianity Today*, 31 de janeiro de 2018, <www.christianitytoday.com/ct/2018/january-web-only/rachael-denhollander-larry-nassar-forgiveness-gospel.html>. Grifo nosso.

4 Nancy Beach, "My Response to the 'Apology'", blog pessoal, 11 de maio de 2018, <www.nancylbeach.com/blog/myresponse totheapology>.

5 Wade Burleson, "You Can't Forgive Foolishness: James MacDonald on 'Spiritual Authority' Invested in the Church Elders", Istoria Ministries (blog), 17 de setembro de 2014, <www.wadeburleson.org/2014/09/you-cant-forgive-foolishness-james.html>. Grifo no original.

6 Ibid.

7 Keri Ladouceur em conversa com Laura McKnight Barringer, 11 de setembro de 2019.

8 "Prohibited Employment Policies/Practices", US Equal Employment Opportunity Commission, <www.eeoc.gov/laws/practices>.

9 Keri Ladouceur, em conversa.

10 "[Hybels] disse que se lembrava de não ter dado a [Nancy] Beach tanto espaço para ensinar na Willow Creek quanto ela gostaria, mas que ele não sabia se era isso que havia desencadeado as alegações de Beach contra ele. Qualquer que fosse o caso, ele afirmou categoricamente que não havia feito nada de errado. 'Quando (a alegação) veio à tona em 2016, fiquei perplexo e me perguntei quem havia distorcido essa história', Hybels disse ao jornal *Tribune*." Citado de Manya Brachear Pashman e Jeff Coen, "After Years of Inquiries, Willow Creek Pastor Denies Misconduct Allegations", *Chicago Tribune*, 23 de março de 2018, <https://www.chicagotribune.com/news/breaking/ct-met-willow-creek-pastor-20171220-story.html>.

11 Bill Hybels, citado em Laurie Goodstein, "He's a Superstar Pastor. She Worked for Him and Says He Groped Her Repeatedly", *New York Times*, 7 de agosto de 2018, <https://www.nytimes.com/2018/08/05/us/bill-hybels-willow-creek-pat-baranowski.html>.

12 Betty Schmidt, "Shining the Light on the Truth", blog pessoal, 10 de abril de 2018, <https://veritasbetold.wixsite.com/website>.

[13] Até a data em que escrevemos, Willow Creek ainda não pediu perdão publicamente a Betty Schmidt, e a liderança da igreja não corrigiu o modo como caracterizou as palavras dela.

[14] *"Gaslighting"*, Wikipedia, <https://en.wikipedia.org/wiki/Gaslighting>.

[15] Paige L. Sweet, "The Sociology of Gaslighting", *American Sociological Review* 84, n° 5 (2019): p. 852, <https://www.asanet.org/sites/default/files/attach/journals/oct19asrfeature.pdf>.

[16] Ibid.

[17] Stephanie Sarkis, "Why Narcissists and Gaslighters Blatantly Lie— and Get Away with It", *Forbes*, 2 de junho de 2019, <www.forbes.com/sites/stephaniesarkis/2019/06/02/why-narcissists-and-gaslighters-blatantly-lie-and-get-away-with-it/#7c68c84f43b0>.

[18] "Silent No More: A Survivor of Sexual Assault by Prominent Memphis Pastor Andy Savage Shares Her Story", *Watchkeep* (blog), 5 de janeiro de 2018, <http://watchkeep.blogspot.com/2018/01/silent-no-more-survivor-of-sexual.html>.

[19] "03-23-18 Willow Response to Hybels Allegations Pt 1", Brandy Bo Bandy, canal do YouTube, <www.youtube.com/watch?v=ojmS_uEhQRo>, 9:45–10:35.

[20] Pam Orr, citada em Bob Smietana, "Bill Hybels Accused of Sexual Misconduct by Former Willow Creek Leaders", *Christianity Today*, 22 de março de 2018, <www.christianitytoday.com/news/2018/march/bill-hybels-misconduct-willow-creek-john-nancy-ortberg.html>.

[21] "03-23-18 Willow Response to Hybels Allegations Pt 1", 11:13–11:39. Grifo nosso para transmitir a entonação das declarações verbais.

[22] Nancy Beach, "Why We Can't Move On", blog pessoal, 11 de abril de 2018, <www.nancylbeach.com/blog/2018/4/11/why-we-cant-move-on>.

[23] "Defendant Fails to Uncover Desired Scandal, Opting to Publish Old Gossip", Harvest Bible Chapel, 13 de dezembro de 2018, <www.harvestbiblechapel.org/2018/12/13/defendant-fails-to-uncover-scandal>.

[24] Wade Mullen, "Deciphering the Language of Harvest Bible Chapel", Medium, 20 de fevereiro de 2019, <https://medium.com/@wademullen/deciphering-the-language-of-harvest-bible-chapel-4a88fa0f83d7>.

[25] Ibid.

[26] Ibid.

[27] Rachel Held Evans, "How [Not to] Respond to Abuse Allegations: Christians and Sovereign Grace Ministries", blog pessoal, 28 de fevereiro de 2013, <https://rachelheldevans.com/blog/sovereign-grace-ministries-abuse-allegations>.

[28] Mark Galli, "We Need an Independent Investigation of Sovereign Grace Ministries", *Christianity Today*, 22 de março de 2018, <www.christianitytoday.com/ct/2018/march-web-only/sovereign-grace-need-investigation-sgm-mahaney-denhollander.html>.

[29] DeMuth, Twitter, 3 de setembro de 2019, <https://twitter.com/MaryDeMuth/status/1168990090829422595>.

[30] "Bylaws: 10.4 Formal Dispute Resolution", The Village Church, <https://thevillagechurch.net/about/beliefs/bylaws/#10.4>. Grifo nosso.

[31] Elizabeth Dias, "Her Evangelical Megachurch Was Her World. Then Her Daughter Said She Was Molested by a Minister", *New York Times*, 10 de junho de 2019, <www.nytimes.com/2019/06/10/us/southern-baptist-convention-sex-abuse.html>.

[32] Ibid.

[33] Ibid.

[34] Elizabeth Dias, "An Evangelical Megachurch Is Sued for More Than $1 Million in Child Sexual Abuse Case", *New York Times*, 26 de julho de 2019, <https://www.nytimes.com/2019/07/26/us/village-church-texas-sexual-abuse-lawsuit.html>.

[35] Elizabeth Dias, "Her Evangelical Megachurch".

[36] Mitch Little, mensagem de texto para Scot McKnight, 3 de julho de 2019.

[37] Julie Roys, "Hard Times at Harvest", *World* magazine, 13 de dezembro de 2018, <https://world.wng.org/2018/12/hard_times_at_harvest>.

[38] Jennifer Babich, "Why 2 Women Are Speaking Up about Pastoral Abuse 17 Years after Being Told to Stay Silent", Clarksville (TN) *Leaf-Chronicle*, 5 de novembro de 2019, <www.theleafchronicle.com/story/news/2019/11/05/first-baptist-clarksville-pastor-abuse-wes-feltner-berean-baptist-claims/4158696002>.

[39] John Bacon, "Pope: Answer Those Who 'Only Seek Scandal' with Silence, Prayer", *USA Today*, 3 de setembro de 2018, <www.usatoday.com/story/news/world/2018/09/03/pope-answer-those-who-only-seek-scandal-silence-prayer/1184690002>.

[40] Ibid.

[41] Rome Reports, "Pope Francis at Santa Marta: Respond to People Only Seeking Destruction with Silence", YouTube, 3 de setembro de 2018, <www.youtube.com/watch?time_continue=53&v=haTEtxImNiQ&feature=emb_title>, 0:53–1:08.

[42] Keri Ladouceur, em conversa.

[43] "03-23-18 Willow Response to Hybels Allegations Pt 1", 52:36-52:46. Grifo nosso para transmitir a entonação das declarações verbais.

[44] Ibid., 47:52–48:25.

[45] Ibid., 44:38–46:56.

[46] Nancy Ortberg, "Flawed Process, Wounded Women", blog pessoal, 12 de abril de 2018, <www.nancylortberg.com>.

[47] Ibid.

[48] "Sovereign Grace Churches Will Not Seek an Independent Investigation into Abuse Allegations", *Relevant*, 16 de abril de 2019, <https://relevantmagazine.com/god/church/sovereign-grace-churches-will-not-seek-an-independent-investigation-into-abuse-allegations>.

[49] Wade Mullen, "What I've Observed When Institutions Try to Apologize and How They Can Do Better", blog pessoal, 19 de julho

de 2019, <https://wadetmullen.com/what-ive-observed-when-institutions-try-to-apologize-and-how-they-can-do-better/>.

[50] Ibid.

[51] Ibid.

[52] Ibid.

[53] Ibid.

[54] Ibid.

Capítulo 5

[1] Scot McKnight, "Willow: Why the Women Went Public?" *Jesus Creed* (blog), 9 de julho de 2018, <https://www.patheos.com/blogs/jesuscreed/2018/07/09/willow-why-the-women-went-public>.

[2] Bondade é uma virtude "executiva", que governa todo o comportamento e não pode ser resumida a uma ordem ou proibição específica. Uma pessoa boa é alguém que discerniu o que é bom e que pratica o bem repetidamente ao longo do tempo. Veja um estudo criterioso da bondade em Christopher J. H. Wright, *Cultivating the Fruit of the Spirit: Growing in Christlikeness* (Downers Grove, IL: IVP, 2017), especialmente p. 97-112. [No Brasil, *Aprendendo a viver como Jesus: Um novo olhar sobre o fruto do Espírito*. São Paulo: Mundo Cristão, 2019.]

[3] A tradução grega de *tov* em Gênesis 1 é *kalos*, que significa "excelente" e "belo".

[4] Veja Scot McKnight, *The Jesus Creed: Loving God, Loving Others*, 2ª ed. (Paraclete, 2019) [No Brasil, *O credo de Jesus: Crescimento espiritual, amor a Deus e ao próximo*. Curitiba: Esperança, 2019.]

[5] Eis alguns exemplos importantes: meus dois prediletos são Gálatas 6.9-10 e Romanos 12.9. Veja também 2Coríntios 9.9; Colossenses 1.10; 2Tessalonicenses 3.13; e especialmente na carta pastoral de Paulo a Tito: Tito 1.8; 2.3,7,13-14; 3.1-2,8,14.

[6] "Virginia Coach Bennett Rejects Raise in New Deal", ESPN, 16 de setembro de 2019, <https://www.espn.com/mens-college-basketball/story/_/id/27629534/virginia-bennett-rejects-raise-new-deal>.

258 • UMA IGREJA CHAMADA *TOV*

[7] Quase sessenta vezes na Septuaginta, a versão grega da Bíblia hebraica, o termo grego *eu* traduz o hebraico *tov*. Por exemplo, Deuteronômio 5.16 nos instrui a honrar os pais "para que [...] tudo te vá bem [*tov* em hebraico, *eu* em grego]" (NVI).

Capítulo 6

[1] Post do Facebook da funerária Perches, 13 de agosto de 2019, <https://www.facebook.com/PerchesFuneralHome/photos/a.1347174618643225/2867142816646390/?type=3&theater>.

[2] Audra D. S. Burch, "In El Paso, Hundreds Show Up to Mourn a Woman They Didn't Know", *New York Times*, 16 de agosto de 2019, <https://www.nytimes.com/2019/08/16/us/el-paso-funeral-basco.html>.

[3] Tal Axelrod, "Hundreds Join Widower to Attend Funeral of El Paso Shooting Victim", *The Hill*, 16 de agosto de 2019, <https://thehill.com/blogs/blog-briefing-room/news/457793-hundreds-attend-funeral-of-el-paso-shooting-victim-after>.

[4] "Supporting Margie Reckard Family", GoFundMe, criado em 7 de agosto de 2019, <https://www.gofundme.com/f/1pvhtdot9c?stop=1>.

[5] Adolfo Flores, "His Wife Died in the El Paso Shooting and He Has No Other Family, So Hundreds Showed Up for Her Funeral", *BuzzFeed News*, 17 de agosto de 2019, <https://www.buzzfeednews.com/article/adolfoflores/el-paso-funeral-man-no-family-antonio-basco-margie-reckard>.

[6] Beverly Engel, "What Is Compassion and How Can It Improve My Life?", *Psychology Today*, 29 de abril de 2008, <https://www.psychologytoday.com/us/blog/the-compassion-chronicles/200804/what-is-compassion-and-how-can-it-improve-my-life>.

[7] Beth Moore correlacionou complementarismo patriarcal com abuso de mulheres na igreja. Concordamos com seu posicionamento. Veja Leah MarieAnn Klett, "Beth Moore Answers: Does Complementarian Theology Cause Abuse within the Church?", *Christian*

Post, 6 de outubro de 2019, <https://www.christianpost.com/news/beth-moore-answers-does-complementarian-theology-cause-abuse-within-the-church.html>.

[8] Jen Pollock Michel, "A Message to John MacArthur: The Bible Calls Both Men and Women to 'Go Home,'" *Christianity Today*, 24 de outubro de 2019, <https://www.christianitytoday.com/ct/2019/october-web-only/john-macarthur-bible-invites-both-men-women-go-home.html>.

[9] "Memorial to the Women of World War II", *Atlas Obscura*, <https://www.atlasobscura.com/places/memorial-to-the-women-of-world-war-ii>.

[10] John Mills, projetista do Memorial, citado em "Memorial to the Women of World War II".

[11] Também aqui, focalizamos mulheres, mas aquilo que estamos dizendo se aplica a todas as irmãs e a todos os irmãos que, em algum momento, foram marginalizados, feridos ou calados, ou que se tornaram pessoas sem nome, sem rosto e sem forma na igreja. O objetivo de uma cultura *tov* é que *todos* se sintam honrados e valorizados e que tenham voz.

[12] Laceye C. Warner, *Saving Women: Retrieving Evangelistic Theology and Practice* (Waco, TX: Baylor University Press, 2007), p. 223.

[13] Ibid., p. 224.

[14] Mary McLeod Bethune, "Closed Doors (1936)", in *Mary McLeod Bethune: Building a Better World*, Audrey Thomas McCluskey e Elaine M. Smith, orgs. (Bloomington, IN: Indiana University Press, 1999), p. 211.

Capítulo 7

[1] Harold L. Senkbeil, *The Care of Souls: Cultivating a Pastor's Heart* (Bellingham, WA: Lexham Press, 2019), p. 24-5.

[2] John M. G. Barclay, *Paul and the Gift* (Grand Rapids: Eerdmans, 2015), p. 6, 575. [No Brasil, *Paulo e o dom*. São Paulo: Paulus, 2018.]

260 • UMA IGREJA CHAMADA *TOV*

[3] James D. G. Dunn, *The Acts of the Apostles*, Narrative Commentaries (Valley Forge, PA: Trinity Press International, 1966), p. 12.

[4] C. S. Lewis, *Mere Christianity* (New York: Macmillan, 1943), p. 104. [No Brasil, *Cristianismo puro e simples*. Rio de Janeiro: Thomas Nelson Brasil, 2017.]

Capítulo 8

[1] Fred Rogers, "I Give an Expression of Care Every Day to Each Child", *Current*, 2 de maio de 1969, <https://current.org/1969/05/i-give-an-expression-of-care-every-day-to-each-child/>.

[2] Maxwell King, *The Good Neighbor: The Life and Work of Fred Rogers* (New York: Abrams Press, 2018), p. 317-8.

[3] Tom Junod, citado em King, *The Good Neighbor*, p. 305.

[4] King, *The Good Neighbor*, p. 202.

[5] Ibid., p. 9.

[6] Mitch Randall, "Theological Malpractice Stands Culpable in Sexual Abuse", EthicsDaily.com, 15 de agosto de 2019, <https://ethicsdaily.com/theological-malpractice-stands-culpable-in-sexual-abuse/>.

[7] Ibid.

[8] Adaptado de David Brooks, *The Second Mountain: The Quest for a Moral Life* (New York: Random House, 2019), p. 60-2.

[9] Ibid., p. 62.

[10] Site Communities in Schools, "About Us: Our History", <www.communitiesinschools.org/about-us>.

[11] Paula Gooder, *Everyday God: The Spirit of the Ordinary* (Minneapolis: Fortress, 2015), p. 57.

Capítulo 9

[1] C. S. Lewis, *The Lion, the Witch and the Wardrobe* (New York: Harper-Collins, 1950), p. 67-8. [No Brasil, *O leão, a feiticeira e o guarda-roupa*, São Paulo: WMF Martins Fontes, 2009.]

[2] Miroslav Volf e Matthew Croasmun, *For the Life of the World: Theology That Makes a Difference* (Grand Rapids: Brazos, 2019), p. 137.

[3] Vonda Dyer, Congresso No More Silence, Dallas Theological Seminary, 9 de setembro de 2019, <www.youtube.com/watch?v=tBe GmwW5-v0>, 5:50–7:18.

[4] Mike Breaux, "Journey through John: Come and See", sermão na Willow Creek Community Church, 27 de janeiro de 2019, <www.youtube.com/watch?v=ISjXhWUyGi0>, 19:51–20:06, 20:29–20:36, 22:12–22:21, 25:08–25:20, 25:48–25:56, 26:07–26:12.

[5] Keri Ladouceur, em conversa com Laura McKnight Barringer, 11 de setembro de 2019.

[6] Dietrich Bonhoeffer, *Discipleship*, Dietrich Bonhoeffer Works, vol. 4, trad. Barbara Green e Reinhard Krauss (Minneapolis: Fortress, 2001), p. 43-4. [No Brasil, *Discipulado*. São Paulo: Mundo Cristão, 2016.]

[7] Steve Carter, "A Diverging Path", blog pessoal, 5 de agosto de 2018, <www.steveryancarter.com/post/a-diverging-path>.

[8] Ibid.

[9] "James MacDonald Harvest Bible Chapel Excommunication", Internet Archive, 19 de setembro de 2013, <https://archive.org/details/JamesMacDonaldHarvastBibleChapel>, 3:28–3:33.

[10] Willow Creek Elder Board, "Elder Update and Worship & Reflection Service", 19 de julho de 2019, <www.willowcreek.org/en/blogs/south-barrington/elder-update-july-19-2019>.

[11] Ibid.

[12] Ibid.

[13] Ibid.

[14] Veja, por exemplo, Nancy Beach, "The Morning After the 'Final Willow Meeting'", blog pessoal, 24 de julho de 2019, <www.nancylbeach.com/blog/2019/7/24/the-morning-after-the-final-willow-meeting>.

[15] Shoji Boldt, Willow Creek Community Church Elder-led Worship & Reflection Service, 23 de julho de 2019. Vídeo inserido em Willow Creek Elder Board, "Elder Update and Worship & Reflection

262 • UMA IGREJA CHAMADA *TOV*

Service", 19 de julho de 2019, <www.willowcreek.org/en/blogs/south-barrington/elder-update-july-19-2019>, 27:19–27:28.

[16] Silvia Escobar, Willow Creek Community Church Elder-led Worship & Reflection Service, 23 de julho de 2019. Vídeo inserido em Willow Creek Elder Board, "Elder Update and Worship & Reflection Service", 19 de julho de 2019, <www.willowcreek.org/en/blogs/south-barrington/elder-update-july-19-2019>, 35:35–35:37.

[17] Wade Mullen, Twitter, 25 de julho de 2019, <twitter.com/wademullen/status/1154408308331208706>.

[18] James Baldwin, "The Creative Process", in *The Price of the Ticket: Collected Nonfiction, 1948–1985* (New York: St. Martin's Press, 1985), p. 318.

[19] Ibid.

[20] Adaptado de Baldwin, "The Creative Process". A declaração de Baldwin é: "Temos a oportunidade que nenhuma outra nação tem de ir além dos conceitos do Velho Mundo de raça, classe e casta e de criar, finalmente, o que devíamos ter em mente quando começamos a falar do Novo Mundo".

Capítulo 10

[1] Maya Salam, "How Larry Nassar 'Flourished Unafraid' for So Long", *New York Times*, 3 de maio de 2019, <www.nytimes.com/2019/05/03/sports/larry-nassar-gymnastics-hbo-doc.html>.

[2] Beth LeBlanc e Matt Mencarini, "Rachael Denhollander, First to Publicly Accuse Nassar, Makes Final Victim Statement", *Lansing State Journal*, 24 de janeiro de 2018, <https://www.lansingstatejournal.com/story/news/local/2018/01/24/denhollander-seeks-harsh-sentence-answers-tough-questions-nassar-sentencing/1060121001/>.

[3] "Read Rachael Denhollander's full victim impact statement about Larry Nassar", CNN, 30 de janeiro de 2018, <www.cnn.com/2018/01/24/us/rachael-denhollander-full-statement>. Veja também, "Rachael Denhollander Delivers Powerful Final Victim Speech to Larry Nassar", YouTube, 24 de janeiro de 2018, <www.youtube.com/watch?v=7CjVOLToRJk>.

NOTAS • 263

[4] A Sovereign Grace Churches [Igrejas da Graça Soberana] era chamada, anteriormente, Sovereign Grace Ministries [Ministério da Graça Soberana]. Por vezes, as designações são usadas de forma intercambiável.

[5] "Read Rachael Denhollander's full victim impact statement".

[6] Embora Rachael Denhollander não mencione o nome do líder em seu livro de memórias, o jornal *Washington Post* o identifica como C. J. Mahaney. Mahaney estava tentando voltar ao ministério depois que um processo judicial de ação coletiva alegou que ele havia encoberto abuso sexual na SGC. A Igreja Batista Emanuel apoiou a volta de Mahaney ao ministério, mesmo sabendo que ele nunca havia reconhecido que não tinha tratado devidamente das alegações de abuso sexual. Veja também Joshua Pease, "The Sin of Silence", *Washington Post*, 31 de maio de 2018, <www.washingtonpost.com/news/postevery thing/wp/2018/05/31/feature/the-epidemic-of-denial-about-sexual-abuse-in-the-evangelical-church/>.

[7] Rachael Denhollander, *What Is a Girl Worth?* (Carol Stream, IL: Tyndale Momentum, 2019), p. 146.

[8] Tiffany Stanley, "The Sex-Abuse Scandal That Devastated a Suburban Megachurch", *Washingtonian*, 14 de fevereiro de 2016, <www.washingtonian.com/2016/02/14/the-sex-abuse-scandal-that-devastated-a-suburban-megachurch-sovereign-grace-ministries>.

[9] Sovereign Grace Staff: "FAQ Concerning Allegations against Sovereign Grace Churches", 12 de abril de 2019, <https://sove reigngrace.com/faq>.

[10] Morgan Lee, "My Larry Nassar Testimony Went Viral. But There's More to the Gospel than Forgiveness", *Christianity Today*, 31 de janeiro de 2018, <www.christianitytoday.com/ct/2018/january-web-only/rachael-denhollander-larry-nassar-forgiveness-gospel.html>.

[11] Denhollander, *What Is a Girl Worth?*, p. 58.

[12] Ibid., p. 306.

[13] Ibid., p. 146-8.

[14] Lee, "My Larry Nassar Testimony".

264 • UMA IGREJA CHAMADA *TOV*

[15] Denhollander, *What Is a Girl Worth?*, p. 141.

[16] G. A. Pritchard, *Willow Creek Seeker Services: Evaluating a New Way of Doing Church* (Grand Rapids: Baker, 1996), p. 43.

[17] Dean Butters, "My Harvest Bible Chapel Story", 29 de janeiro de 2019, p. 4, <https://wonderingeagle.files.wordpress.com/2019/03/dbutters-hbc-story.pdf>.

[18] Julie Roys, "Hard Times at Harvest", *World* magazine, 13 de dezembro de 2018, <https://world.wng.org/2018/12/hard_times_at_harvest>.

[19] Esse relato foi adaptado de Matthew D. Hockenos, *Then They Came for Me: Martin Niemöller, the Pastor Who Defied the Nazis* (New York: Basic Books, 2018), e Harold Marcuse, "The Origin and Reception of Martin Niemöller's Quotation 'First They Came for the Communists . . .'", (31 de julho de 2014), <http://marcuse.faculty.history.ucsb.edu/publications/articles/Marcuse2016OriginReception NiemoellersQuotationOcr.pdf>.

[20] Para uma discussão sobre a evolução dessas linhas de Niemöller, veja Marcuse, "The Origin and Reception of Martin Niemöller's Quotation".

[21] Eis uma história não muito conhecida relatada em Hockenos, *Then They Came for Me*: quando Niemöller estava na prisão em 1937, recebeu um exemplar da obra hoje famosa de Dietrich Bonhoeffer, *Discipulado*, com uma dedicatória de Bonhoeffer: "Ao pastor Martin Niemöller no Advento de 1937, com gratidão fraterna. Um livro que ele próprio poderia ter escrito melhor que o autor".

Capítulo 11

[1] Calvin Miller, *Life Is Mostly Edges: A Memoir* (Nashville: Thomas Nelson, 2008), p. 58-9.

[2] Veja Kathleen Norris, *The Quotidian Mysteries: Laundry, Liturgy and "Women's Work"* (New York: Paulist, 1998).

[3] Paula Gooder, *Everyday God: The Spirit of the Ordinary* (Minneapolis: Fortress, 2015), p. x.

[4] Dallas Willard, *Life without Lack: Living in the Fullness of Psalm 23* (Nashville: Nelson Books, 2018), p. 58.

[5] John Ortberg, no posfácio de Gary W. Moon, *Becoming Dallas Willard: The Formation of a Philosopher, Teacher, and Christ Follower* (Downers Grove, IL: IVP, 2018), p. 255-6.

[6] Ralph E. Enlow Jr., *Servant of All: Reframing Greatness and Leadership through the Teachings of Jesus* (Bellingham, WA: Kirkdale Press, 2019), p. 67-8.

[7] James C. Galvin, *Willow Creek Governance Review, 2014–2018*, 14 de abril de 2019, p. 3, <https://esslingerleiterforum.files.wordpress.com/2019/05/report_on_governance_review_2014_2018_final.pdf>.

[8] Mary DeMuth, "10 Ways to Spot Spiritual Abuse", *Restory* (site pessoal), 6 de setembro de 2016, <https://www.marydemuth.com/spiritual-abuse-10-ways-to-spot-it/>. Grifo no original.

[9] Amy Simpson, "When Moral Boundaries Become Incubators for Sin", *Christianity Today*, 25 de março de 2019, <www.christianitytoday.com/pastors/2019/march-web-exclusives/when-moral-boundaries-become-incubators-for-sin.html>.

[10] Andy Crouch, "It's Time to Reckon with Celebrity Power", TGC, 24 de março, 2018, <www.thegospelcoalition.org/article/time-reckon-celebrity-power>.

[11] Chuck DeGroat, *When Narcissism Comes to Church: Healing Your Community from Emotional and Spiritual Abuse* (Downers Grove, IL: IVP, 2020), p. 82.

[12] Kate Bowler, *The Preacher's Wife: The Precarious Power of Evangelical Women Celebrities* (Princeton, NJ: Princeton University Press, 2019), xiii.

[13] Ibid., p. xv.

[14] Paul Simon, "The Sound of Silence", letra ©Universal Music Publishing Group, BMG Rights Management.

[15] As citações das Escrituras neste trecho foram adaptadas de Marcos 10.33-40.

266 • UMA IGREJA CHAMADA *TOV*

[16] Miller, *Life Is Mostly Edges*, p. 351.

[17] Ibid., p. 351-2.

[18] Mike Glenn, *Coffee with Mom: Caring for a Parent with Dementia* (Nashville: B&H, 2019), p. 2, 48-50.

[19] K. Patricia Cross, abstract for "Not *Can*, but *Will* College Teaching Be Improved?", *New Directions for Higher Education* 1977, n° 17 (primavera de 1977): p. 1, <https://onlinelibrary.wiley.com/doi/abs/10.1002/he.36919771703>.

Capítulo 12

[1] David Brooks, *The Second Mountain: The Quest for a Moral Life* (New York: Random House, 2019), p. 23.

[2] Ibid., p. 23. Grifo nosso.

[3] Ibid., p. 23. Grifo nosso.

[4] Ibid., p. 22.

[5] Willow Creek Community Church, descrição de cargo de pastor titular, <www.vanderbloemen.com/job/willow-creek-community-church-senior-pastor>. Essa descrição de cargo foi removida do site depois que a Willow Creek anunciou a contratação de um novo pastor em 15 de abril de 2020. Último acesso pelos autores em 26 de março de 2020.

[6] Willow Creek Community Church, descrição de cargo de pastor titular.

[7] Willow Creek Community Church, descrição de cargo de pastor titular. Grifo nosso.

[8] Eugene Peterson, *Working the Angles: The Shape of Pastoral Integrity* (Grand Rapids: Eerdmans, 1993), p. 3. [No Brasil, *O pastor segundo Deus: A integridade pastoral vista por vários ângulos*. São Paulo: Cultura Cristã, 2017.]

[9] Eugene Peterson, *The Pastor: A Memoir* (New York: HarperOne, 2011), p. 5. [No Brasil, *Memórias de um pastor*. São Paulo: Mundo Cristão, 2011.] O tema está presente ao longo de todo esse livro de Peterson.

[10] Aquilo que vem a seguir expressa o que eu (Scot) escrevi em meu livro *Pastor Paul: Nurturing a Culture of Christoformity in the Church* (Grand Rapids, MI: Baker, 2019).

[11] Eugene Peterson, *The Contemplative Pastor: Returning to the Art of Spiritual Direction* (Grand Rapids: Eerdmans, 1989), p. 112-6. [No Brasil, *O pastor contemplativo*. São Paulo: Sepal/Textus, 2002.]

[12] Eugene H. Peterson, "Pastor Paul", in *Romans and the People of God: Essays in Honor of Gordon D. Fee on the Occasion of His 65th Birthday*, Sven K. Soderlund e N. T. Wright, orgs. (Grand Rapids: Eerdmans, 1999), p. 283-294 (cf. p. 291).

[13] Teresa Morgan, *Every-Person Ministry: Reaching out in Christ* (London: SPCK, 2011), p. 4-5.

[14] Patrick Kiefert e Wesley Granberg-Michaelson, *How Change Comes to Your Church: A Guidebook for Church Innovations* (Grand Rapids: Eerdmans, 2019).

[15] Adaptado de Keifert e Granberg-Michaelson, *How Change Comes*, p. 23-4.

Compartilhe suas impressões de leitura,
mencionando o título da obra, pelo e-mail
opiniao-do-leitor@mundocristao.com.br
ou por nossas redes sociais

Esta obra foi composta com tipografia Palatino e Europa
e impressa em papel Pólen Natural 70 g/m² na gráfica Imprensa da Fé